부록

전기(산업)기사
실기 기출문제

• Electrical • Engineer •

- ✦ 2024년 전기기사 제1회~제3회 기출문제
- ✦ 2024년 전기산업기사 제1회~제3회 기출문제
- ✦ 2023년 전기기사 제1회~제3회 기출문제
- ✦ 2023년 전기산업기사 제1회~제3회 기출문제
- ✦ 2022년 전기기사 제1회~제3회 기출문제

2024년 제1회 전기기사 실기 기출문제

01 빌딩에서 면적당 부하용량이 조명설비 20[VA/m²], 동력설비 35[VA/m²], 냉방설비 40[VA/m²]이고, 연면적이 70,000[m²]일 때, 이 빌딩에 설치된 변압기의 용량은 몇 [kVA]인가?

정답 6,650[kVA]

변압기 용량

$P = (20 + 35 + 40) \times 70,000 \times 10^{-3} = 6,650[kVA]$

02 고압 측에 5,500[V]의 전압을 낮추기 위하여 단상 변압기가 그림과 같이 접속되어 있다. 단상변압기의 변압비가 3,500/100[V]로 2대 모두 같으며, 저압 측에 직렬로 설치된 저항은 각각 3[Ω], 5[Ω]이라고 할 때, 고압 측의 E_1[V]와 E_2[V]를 구하시오.

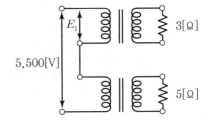

정답 $E_1 = 2,062.5[V]$ $E_2 = 3,437.5[V]$

전압 분배에 따라

$E_1 = \dfrac{R_1}{R_1 + R_2} \times E$

$\quad = \dfrac{3}{3+5} \times 5,500 = 2,062.5[V]$

$E_2 = \dfrac{R_2}{R_1 + R_2} \times E$

$\quad = \dfrac{5}{3+5} \times 5,500 = 3,437.5[V]$

03 그림과 같은 회로에서 중성선 X점에서 단선이 되었다면, 부하 A와 B의 전압은 몇 [V]가 되는가?

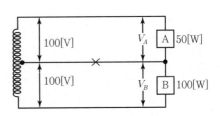

정답 $V_A = 133.33\,[\text{V}]$ $V_B = 66.67\,[\text{V}]$

단선 전의 저항을 먼저 구하여 보면

$$R_A = \frac{V^2}{P_1} = \frac{100^2}{50} = 200\,[\Omega]$$

$$R_B = \frac{V^2}{P_2} = \frac{100^2}{100} = 100\,[\Omega]\text{이 된다.}$$

따라서 $V_A = \dfrac{R_A}{R_A + R_B} \times V$

$$= \frac{200}{200 + 100} \times 200 = 133.33\,[\text{V}]$$

$$V_B = \frac{R_B}{R_A + R_B} \times V$$

$$= \frac{100}{200 + 100} \times 200 = 66.67$$

04 인체감전보호용 누전차단기는 욕실 등 인체가 물에 젖어 있는 상태에서 물을 사용하는 장소에 콘센트를 시설하는 경우에 정격감도전류[mA], 동작시간[sec]은 얼마 이하로 하여야 하는가?

1) 정격감도전류[mA] : (   ) 이하
2) 동작시간[sec] : (   ) 이하

정답   1) 15   2) 0.3

05 사용 중인 UPS의 2차측에 단락사고 등이 발생했을 경우 UPS와 고장회로를 분리하는 방식을 3가지 쓰시오.

정답   1) 배선용 차단기에 의한 보호
            2) 반도체 차단기에 의한 보호
            3) 속단퓨즈에 의한 보호

06 도면은 어느 154[kV] 수용가의 수전 설비 단선 결선도의 일부분이다. 주어진 표와 도면을 이용하여 다음 각 물음에 답하시오.

CT의 정격

1차 정격 전류[A]	200	400	600	800	1,200	1,500
2차 정격 전류[A]	5					

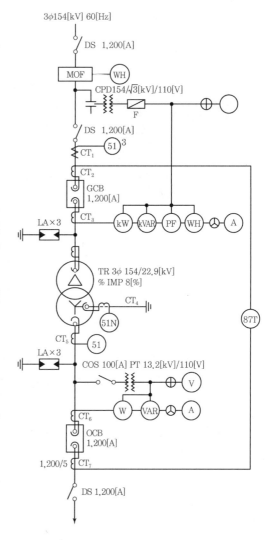

1) 변압기 2차 부하설비 용량이 51[MW], 수용률이 70[%], 부하역률이 90[%]일 때 도면의 변압기 용량은 몇 [MVA]가 되는가?

2) 변압기 1차측 DS의 정격전압은 몇 [kV]인가?

3) CT_1의 비는 얼마인지 계산하고 표에서 선정하시오.

4) GCB 내에 사용되는 가스는 주로 어떤 가스를 사용하는지 그 가스의 명칭을 쓰시오.

5) OCB의 정격 차단전류가 23[kA]일 때, 이 차단기의 차단용량은 몇 [MVA]인가?

6) 과전류 계전기의 정격부담이 9[VA]일 때 이 계전기의 임피던스는 몇 [Ω]인가?

7) CT_7 1차 전류가 600[A]일 때 CT_7의 2차에서 비율차동계전기의 단자에 흐르는 전류는 몇 [A]인가?

정답 1) 39.67[MVA] 2) 170[kV] 3) 200/5 선정 4) SF_6 5) 1,027.8[MVA]
6) 0.36[Ω] 7) 4.33[A]

1) $P = \dfrac{설비용량 \times 수용률}{역률}$

$= \dfrac{51 \times 0.7}{0.9} = 39.67[\text{MVA}]$

3) CT의 1차 전류 $I \times (1.25 \sim 1.5)$이므로

$$I = \frac{39.67 \times 10^6}{\sqrt{3} \times 154 \times 10^3} \times (1.25 \sim 1.5) = 185.9 \sim 223.08 [A]$$

따라서 표에서 200/5를 선정한다.

5) $P_s = \sqrt{3} \, V_n I_s$

$$= \sqrt{3} \times 25.8 \times 23 = 1,027.8 [MVA]$$

6) 변류기의 부담 $P = I^2 Z$이며 여기서 $I = 5[A]$가 되므로

$$Z = \frac{P}{I^2} = \frac{9}{5^2} = 0.36 [\Omega]$$이 된다.

7) $I_2 = I_1 \times \dfrac{1}{CT비}$가 된다. 다만, 변압기가 $\Delta - Y$결선이므로 변류기의 결선은 반대가 되어야 한다.

따라서 Δ결선이기 때문에 비율차동계전기에 흐르는 전류는 선전류이므로

$$I_2 = I_1 \times \frac{1}{CT비} \times \sqrt{3}$$

$$= 600 \times \frac{5}{1,200} \times \sqrt{3} = 4.33 [A]$$이다.

07 계약 부하설비에 의한 계약 최대전력을 정하는 경우에 부하설비 용량이 900[kW]인 경우 전력회사와의 계약 최대전력은 몇 [kW]인가?

구분	계약전력 환산율
처음 75[kW]에 대하여	100[%]
다음 75[kW]에 대하여	85[%]
다음 75[kW]에 대하여	75[%]
다음 75[kW]에 대하여	65[%]
300[kW] 초과분에 대하여	60[%]

정답 604[kW]

계약전력 $= 75 + (75 \times 0.85) + (75 \times 0.75) + (75 \times 0.65) + (600 \times 0.6) = 603.75 [kW]$

08 연축전지의 정격용량 200[Ah], 상시부하 10[kW], 표준전압 100[V]인 부동충전방식이 있다. 이 부동충전방식의 충전기 2차 전류는 몇 [A]인가?

정답   120[A]

부동충전방식의 충전기의 2차 전류

$$I_2 = \frac{정격용량[\text{Ah}]}{방전율[\text{h}]} + \frac{상시부하[\text{VA}]}{표준전압[\text{V}]}$$

$$= \frac{200}{10} + \frac{10 \times 10^3}{100} = 120[\text{A}]$$

09 다음 표를 보고 보호계전기의 명칭을 쓰시오.

약호	명칭
OCR	①
GR	②
OPR	③
OVR	④
PWR	⑤

정답   ① 과전류계전기
② 지락계전기
③ 결상계전기
④ 과전압계전기
⑤ 전력계전기

10 다음은 퓨즈의 용단 및 동작특성에 관한 표이다. 표를 보고 괄호 안에 알맞은 내용을 쓰시오.

정격전류의 배수	불용단 시간	용단 시간
4배	(①) 이내	–
6.3배	–	(②) 이내
8배	0.5초 이내	–
10배	(③) 이내	–
12.5배	–	0.5초 이내
19배	–	(④) 이내

정답 ① 60초
② 60초
③ 0.2초
④ 0.1초

11 양수량 18[m³/min], 전양정 25[m]의 펌프를 구동하는 전동기의 소요출력[kW]을 구하시오. (단, 펌프의 효율은 82[%]로 하고, 여유계수는 1.1로 한다.)

정답 98.64[kW]

양수펌프 소요전력 $P = \dfrac{KQH}{6.12\eta}$

$\qquad\qquad\qquad = \dfrac{1.1 \times 18 \times 25}{6.12 \times 0.82} = 98.637[\text{kW}]$

12 다음은 한국전기설비규정에 따른 상주 감시를 하지 아니하는 변전소의 시설에 대한 내용이다. 내용을 보고 빈칸에 알맞은 내용을 쓰시오.

KEC 351.9 상주 감시를 하지 아니하는 변전소의 시설
변전소(이에 준하는 곳으로(①)kV를 초과하는 특고압의 전기를 변성하기 위한 것을 포함한다. 이와 같다.)의 운전에 필요한 지식 및 기능을 가진 자(이하 "기술원"이라고 한다.)가 그 변전소에 상주하여 감시를 하지 아니하는 변전소는 다음에 따라 시설하는 경우에 한한다.

가. 사용전압이 (②)kV 이하의 변압기를 시설하는 변전소로서 기술원이 수시로 순회하거나 그 변전소를 원격감시 제어하는 제어소(이하에서 "변전제어소"라 한다.)에서 상시 감시하는 경우

정답 ① 50 ② 170

13 보호도체의 재질 및 초기온도에 따라 정해지는 계수는 143이며, 자동차단시간을 위한 보호장치의 동작시간이 0.2초이다. 예상 고장전류의 실횻값이 10,000[A]인 경우 보호도체의 최소 단면적[mm²]을 선정하시오.

> **정답**   35[mm²] 선정
>
> 보호도체 단면적 $= \dfrac{\sqrt{I^2 \cdot t}}{k}$ [mm²]이므로
>
> $= \dfrac{\sqrt{10,000^2 \times 0.2}}{143} = 31.27$[mm²]

14 전력시설물 공사감리업무 수행지침에서 정하는 전기공사업자가 해당 공사현장에서 공사업무 수행상 비치하고 기록, 보관하여야 하는 서식을 5가지만 쓰시오.

> **정답**   1) 하도급 현황
> 2) 주요인력 및 장비투입 현황
> 3) 작업계획서
> 4) 기자재 공급원 승인현황
> 5) 주간공정계획 및 실적보고서

15 유도전동기(IM)를 유도전동기가 있는 현장과 현장에서 조금 떨어진 제어실의 어느 쪽에서든지 기동 및 정지가 가능하도록 전자접촉기 MC와 누름버튼 스위치 PBS-ON용, PBS-OFF용을 사용하여 제어회로를 점선 안에 그리시오.

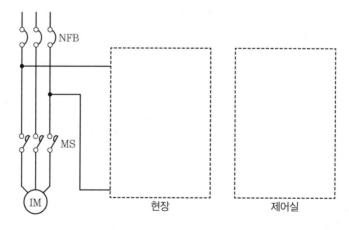

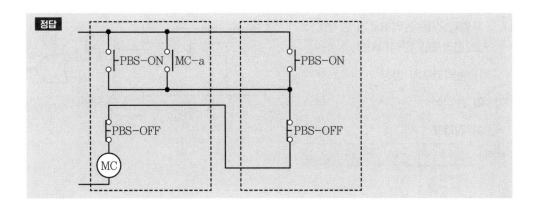

16 다음은 PLC 래더 다이어그램과 명령어를 참고하여 빈칸에 알맞은 내용을 쓰시오.

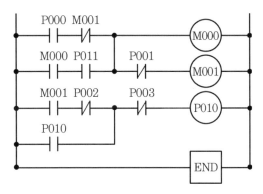

STEP	명령어	번지	STEP	명령어	번지
0	S	P000	7	W	M001
1	AN	M001	8	(⑤)	(⑥)
2	(①)	(②)	9	AN	P002
3	A	P011	10	(⑦)	P010
4	(③)	–	11	AN	P003
5	(④)	M000	12	W	P010
6	AN	P001	13	(⑧)	–

명령어
S(시작)
A(AND)
O(OR)
OS(그룹 간 병렬)
AS(그룹 간 직렬)
N(부정)
W(출력)
END(종료)

정답 ① S ② M000 ③ OS ④ W

⑤ S ⑥ M001 ⑦ O ⑧ END

17 그림과 같은 논리회로의 명칭을 쓰고 진리표를 완성하시오.

1) 논리회로의 명칭

2) 논리식

3) 진리표

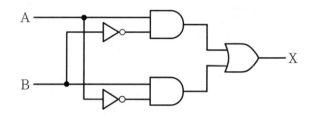

A	B	X
0	0	
0	1	
1	0	
1	1	

정답 1) 베타적 논리합회로

2) $X = A\overline{B} + \overline{A}B$

3)
A	B	X
0	0	0
0	1	1
1	0	1
1	1	0

18 어느 전등의 전압이 220[V], 소비전력은 1,000[W], 전광속이 2,000[lm]일 때, 램프의 효율을 구하시오. (단, 단위를 기술하시오.)

정답 2[lm/W]

전등의 효율 $\eta = \dfrac{F}{P}$[lm/W]

$= \dfrac{2,000}{1,000} = 2$[lm/W]

2024년
제2회

전기기사 실기 기출문제

01 그림과 같이 환상 직류 배전선로에서 각 구간의 왕복 저항은 0.1[Ω], 급전점 A의 전압은 100[V], 부하점 B, D의 부하전류는 각각 25[A], 50[A]라고 할 때 부하점 B의 전압은 몇 [V]인가?

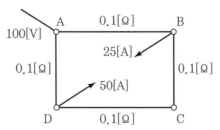

정답 96.88[V]

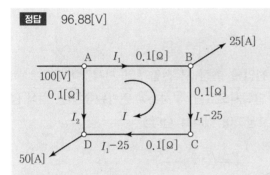

조건을 이용하여 식을 완성하면

$0.1I_1 + 0.1(I_1 - 25) + 0.1(I_1 - 25) - 0.1I_2 = 0$

$0.3I_1 - 0.1I_2 = 5$ 여기서 $I_1 + I_2 = 75[A]$이므로

$I_1 = 75 - I_2$가 된다.

$0.3 \times (75 - I_2) - 0.1I_2 = 5$

$I_2 = \dfrac{22.5 - 5}{0.4} = 43.75[A]$

$I_1 = 75 - I_2$이므로

$\quad = 75 - 43.75 = 31.25$

B점의 전압 $V_B = V_A - I_1R_1 = 100 - 31.25 \times 0.1 = 96.88[V]$

02 연동선을 사용한 코일의 저항이 0[℃]에서 4,000[℃]이었다. 이 코일에 전류를 흘렸더니 그 온도가 상승하여 코일의 저항이 4,500[Ω]으로 되었다고 한다. 이때 연동선의 온도를 구하시오.

정답 29.31[℃]

0[℃]에서의 연동선의 온도계수 $\alpha_0 = \dfrac{1}{234.5}$ 이므로

$R_t = R_0[1 + \alpha_0(t_2 - t_0)]$

$4,500 = 4,000[1 + \dfrac{1}{234.5}(t_2 - 0)]$

$t_2 = (\dfrac{4,500}{4,000} - 1) \times 234.5 = 29.31[℃]$

03 그림과 같은 Y결선된 평형 부하에 전압을 측정 시 전압계의 지시값이 $V_P = 150[V]$, $V_\ell = 220[V]$로 나타났다. 각 물음에 답하시오. (단, 부하측에 인가된 전압은 각상 평형 전압이며 기본파, 제3고조파분 전압만 포함되어 있다고 한다.)

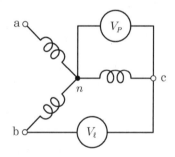

1) 제3고조파 전압[V]을 구하시오.

2) 전압의 왜형률[%]을 구하시오.

정답 1) 79.79[V] 2) 62.82[%]

1) (1) 상전압을 구하여보면(상전압에는 제3고조파가 포함되어 있다.)

$V_P = \sqrt{V_1^2 + V_3^2}$

$150 = \sqrt{V_1^2 + V_3^2}$

(2) 선간전압의 경우 $V_\ell = \sqrt{3}\,V_1$(선간전압에는 제3고조파가 포함되어 있지 않다.)

$$V_1 = \frac{220}{\sqrt{3}} = 127.02[V]$$

따라서 $V_3 = \sqrt{150^2 - 127.02^2} = 79.79[V]$

2) 왜형률 $= \dfrac{\text{전고조파의 실횻값}}{\text{기본파의 실횻값}} \times 100[\%]$

$\qquad = \dfrac{79.79}{127.02} \times 100[\%] = 62.82[\%]$

04 한국전기설비규정에 따라 다음 각 용어의 정의에 대하여 빈칸을 작성하시오.

1) PEN 도체(protective earthing conductor and neutral conductor)
  : (①)에서 (②) 겸용 보호도체를 말한다.

2) PEL 도체(protective earthing conductor and a line conductor)
  : (①)에서 (②) 겸용 보호도체를 말한다.

> **정답** 1) ① 교류회로 ② 중성선
>   2) ① 직류회로 ② 선도체

05 중성점 직접접지 방식의 장단점을 3가지씩 쓰시오.

> **정답** 1) 장점
>   (1) 1선 지락 시 건전상의 대지전위 상승이 거의 없다.
>   (2) 보호계전기 동작 시 확실하다.
>   (3) 선로 및 기기의 절연레벨을 경감할 수 있다.
>
>   2) 단점
>   (1) 지락 시 지락전류가 크기 때문에 기기에 주는 충격이 크다.
>   (2) 지락 시 지락전류가 크기 때문에 통신선에 유도장해가 크다.
>   (3) 과도안정도가 나쁘다.

06 송전단 전압이 6,600[V]인 변전소로부터 3[km] 떨어진 곳까지 지중으로 역률 0.8(지상), 2,000[kW]의 3상 동력 부하에 전력을 부담한다. 만약 수전단 전압이 6,300[V] 이하로 떨어지지 않게 하는 경동선의 굵기를 주어지는 조건을 이용하여 선정하시오. (단, 리액턴스는 무시한다.)

경동선의 굵기[mm^2] : 1.5, 2.5, 4, 6, 10, 16, 25, 35, 50, 70, 95, 120

정답 70[mm^2] 선정

1) 전압강하 $e = V_s - V_r = 6,600 - 6,300 = 300[V]$

2) $e = \sqrt{3}\, I(R\cos\theta + X\sin\theta)$ (리액턴스를 무시한다 하였으므로)

$e = \sqrt{3}\, IR\cos\theta$

$R = \dfrac{e}{\sqrt{3}\, I\cos\theta} = \dfrac{300}{\sqrt{3} \times 229.1 \times 0.8} = 0.945[\Omega]$

$I = \dfrac{P}{\sqrt{3}\, V_r\cos\theta} = \dfrac{2,000 \times 10^3}{\sqrt{3} \times 6,300 \times 0.8} = 229.1[A]$

3) $R = \rho\dfrac{\ell}{A}$

$A = \dfrac{1}{58} \times \dfrac{100}{97} \times \dfrac{\ell}{R}$

$= \dfrac{1}{58} \times \dfrac{100}{97} \times \dfrac{3 \times 10^3}{0.945} = 56.427[mm^2]$

07 다음 문제를 읽고 물음에 답하시오.

1) 피뢰기 접지공사를 실시한 후, 접지저항을 보조 접지 2개(A와 B)를 시설하여 측정하였더니 주접지 A 사이의 저항은 86[Ω], A와 B 사이의 저항은 156[Ω], B와 주접지 사이의 저항은 80[Ω]이었다. 피뢰기의 접지저항 값을 구하시오.

2) 접지도체, 보호도체, 접지시스템, 내부 피뢰시스템, 계통접지, 보호접지 중 다음 설명에 맞는 것을 쓰시오.

(1) 계통, 설비 또는 기기의 한 점과 접지극 사이의 도전성 경로 또는 그 경로의 일부가 되는 도체를 말한다.

(2) 고장 시 감전에 대한 보호를 목적으로 기기의 한 점 또는 여러 점을 접지하는 것을 말한다.

(3) 기기나 계통을 개별적 또는 공통으로 접지하기 위하여 필요한 접속 및 장치로 구성된 설비를 말한다.

1) 5[Ω]   2) (1) 접지도체 (2) 보호접지 (3) 접지시스템

1) 접지저항 $R = \dfrac{1}{2}(86 + 80 - 156) = 5[\Omega]$

08 다음 기기의 명칭을 쓰시오.

1) 가공 배전선로 사고의 대부분은 조류 및 수목에 의한 접촉과 강풍, 낙뢰 등에 의한 플래시 오버 사고로서 이런 사고 발생 시 신속하게 고장 구간을 차단하고 사고점의 아크를 소멸 시킨 후 즉시 재투입이 가능한 개폐장치를 말한다.

2) 보안상 책임 분계점에서 보수 점검 시 전로를 개폐하기 위하여 시설하는 것으로 반드시 무부하 상태에서 개방하여야 한다. 근래에는 이를 대신하여 ASS를 사용하기도 하나 66[kV] 이상의 경우에는 이를 사용한다.

정답 1) 리클로저 2) 선로개폐기

09 3상 3선식 3,000[V], 200[kVA]의 배전선로 전압을 3,100[V]로 승압하기 위하여 단상변압기 3대를 그림과 같이 접속하였다. 이 변압기의 1차, 2차 전압과 용량을 구하시오. (단, 변압기의 손실은 무시한다.)

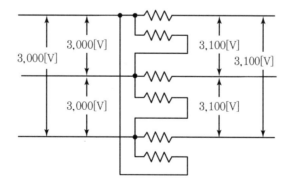

1) 변압기 1, 2차 전압[V]

2) 변압기 용량[kVA]

정답 1) (1) 1차 전압 : 3,000[V] (2) 2차 전압 : 66.31[V]
2) 7.41[kVA]

1) 변압기 2차 전압 $e_2 = -\dfrac{V_1}{2} + \sqrt{\dfrac{V_2^2}{3} - \dfrac{V_1^2}{12}}$

$\qquad = -\dfrac{3,000}{2} + \sqrt{\dfrac{3,100^2}{3} - \dfrac{3,000^2}{12}} = 66.31\,[\text{V}]$

2) 변압기 용량[kVA]

$\quad P = 3e_2 I_2$

$\qquad = 3 \times 66.31 \times \dfrac{200 \times 10^3}{\sqrt{3} \times 3,100} \times 10^{-3} = 7.409\,[\text{kVA}]$

10 다음 그림은 선로에 변류기 3대를 접속시키고 그 잔류회로에 지락계전기(DG)를 삽입시킨 것이다. 변압기 2차측의 선로전압은 66[kV]이고, 중성점에 300[Ω]의 저항접지를 시켰으며, 변류기의 변류비는 300/5이다. 송전전력 2,000[kW], 역률 0.8(지상)이고, a상이 완전 지락고장이 발생하였다면 다음 각 물음에 답하시오.

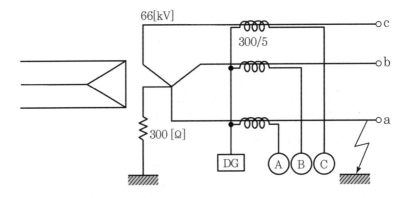

1) 지락계전기 DG에 흐르는 전류는 몇 [A]인가?

2) a상 전류계인 A로 흐르는 전류는 몇 [A]인가?

3) b상 전류계인 B로 흐르는 전류는 몇 [A]인가?

4) c상 전류계인 C로 흐르는 전류는 몇 [A]인가?

정답　1) 2.12[A]　2) 5.49[A]　3) 3.64[A]　4) 3.64[A]

1) 지락전류 $I_g = \dfrac{E}{R}$

$$= \dfrac{\dfrac{66,000}{\sqrt{3}}}{300} = 127.02[A]$$

따라서 계전기 DG에 흐르는 전류 $= I_g \times \dfrac{1}{CT비}$

$$= 127.02 \times \dfrac{5}{300} = 2.12[A]$$

2) 지락고장에 따라 전류계 A에 흐르는 전류는 부하전류와 지락전류의 합이 된다.

$$I_a = \dfrac{20,000 \times 10^3}{\sqrt{3} \times 66 \times 10^3 \times 0.8} \times (0.8 - j0.6) + 127.02$$

$$= 301.97 - j131.21$$

$$= \sqrt{301.97^2 + 131.21^2} = 329.24[A]$$

전류계 A에 흐르는 전류 $I_A = I_a \times \dfrac{1}{CT비}$

$$= 329.24 \times \dfrac{5}{300} = 5.49[A]$$

3) b상에는 부하전류만 흐르게 되므로

$$I_b = \dfrac{20,000 \times 10^3}{\sqrt{3} \times 66 \times 10^3 \times 0.8} = 218.69[A]$$

전류계 b에 흐르는 전류 $I_B = I_b \times \dfrac{1}{CT비}$

$$= 218.69 \times \dfrac{5}{300} = 3.64[A]$$

4) c상에는 부하전류만 흐르게 되므로

$$I_c = \dfrac{20,000 \times 10^3}{\sqrt{3} \times 66 \times 10^3 \times 0.8} = 218.69[A]$$

전류계 C에 흐르는 전류 $I_C = I_c \times \dfrac{1}{CT비}$

$$= 218.69 \times \dfrac{5}{300} = 3.64[A]$$

11 전력계통의 단락용량 경감 대책을 3가지만 쓰시오.

정답　1) 한류리액터를 설치한다.
　　　2) 고 임피던스 기기를 채택한다.
　　　3) 직류 연계한다.

12 그림과 같이 A변전소에서 B변전소로 1회선을 송전을 하고 있다. 이 경우 B변전소 (a) 차단기의 차단용량을 구하시오. (단, 계통의 %임피던스는 10[MVA]를 기준으로 한다.)

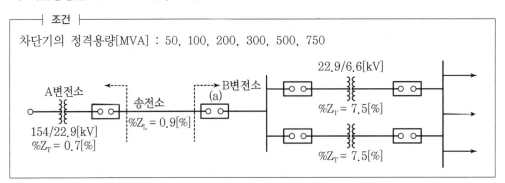

─┤ 조건 ├─

차단기의 정격용량[MVA] : 50, 100, 200, 300, 500, 750

정답 750[MVA] 선정

(a) 차단기의 용량을 구하면

$$P_s = \frac{100}{\%Z}P_n = \frac{100}{1.6} \times 10 = 625[\text{MVA}]$$

$* \%Z_0 = \%Z_\ell + \%Z_T = 0.7 + 0.9 = 1.6[\%]$

13 다음 그림의 개폐기는 전류계붙이형이다. 다음이 의미하는 것을 쓰시오.

3P50A
f20A
A5

(1) 3P50A

(2) f20A

(3) A5

정답 (1) 3극 50[A] 개폐기 (2) 퓨즈 정격 20[A] (3) 정격전류 5[A]인 전류계붙이형

14 그림과 같은 배선평면도와 주어진 조건을 이용하여 다음 각 물음에 답하시오.

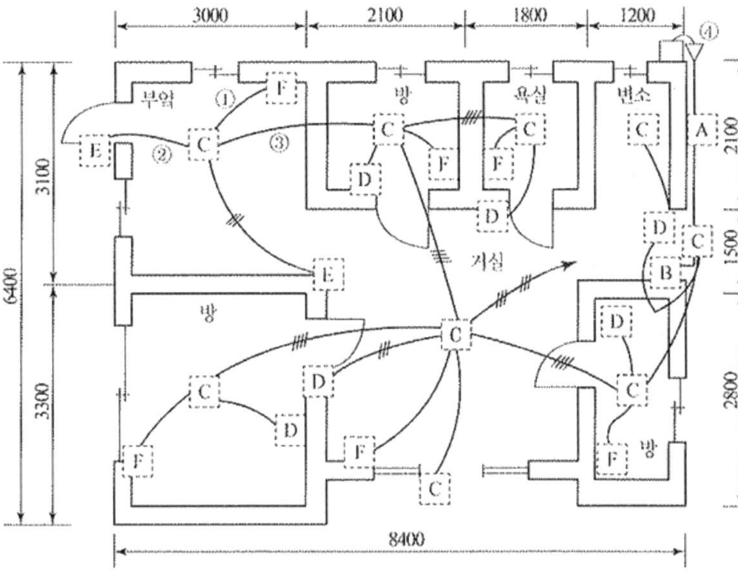

A : 적산전력계(전력량계)   B : 분전반(전등용)   C : 백열전등
D : 덤블러 스위치   E : 덤블러 스위치(3로 스위치)   F : 10[A] 콘센트

┤ 조건 ├

• 사용하는 전선은 모두 NR 2.5[mm²]이다.
• 박스는 모두 4각 박스를 사용하며, 기구 1개에 박스 1개를 사용한다. 2개연등인 경우에는 각 1개씩을 사용하는 것으로 한다.
• 전선관은 콘크리트 매입 후강금속관이다.
• 층고는 3[m]이고, 분전반의 설치 높이는 1.5[m]이다.
• 3로 스위치 이외의 스위치는 단극 스위치를 사용하며, 2개를 나란히 사용하는 개소는 2개소이다.

1) 점선으로 표시된 위치(A~F)에 기구를 배치하여 배선평면도를 완성하려고 한다. 해당되는 기구의 그림기호를 그리시오.

2) 배선평면도의 ① ~ ③의 배선 가닥수는 몇 가닥인가?

3) 도면의 ④에 대한 그림기호의 명칭은 무엇인가?

4) 본 배선평면도에 소요되는 4각 박스와 부싱은 몇 개인가? (단, 자재의 규격은 구분하지 않고 개수만 산정한다.)

정답 1) Ⓐ Wh Ⓑ ◨ Ⓒ ○

Ⓓ ● Ⓔ ●₃ Ⓕ ◖●◗

2) ① 2가닥 ② 3가닥 ③ 4가닥

3) 케이블 헤드

4) (1) 4각 박스 : 25개

(2) 부싱 : 46개

4) (1) 4각 박스 : 25개
C : 9개, D : 6개, E : 2개, F : 6개
스위치 2개를 나란히 사용한 장소에 추가로 2개
(2) 부싱 : 46개
4각 박스수×2(여기서 스위치 2개를 나란히 사용한 장소 제외)
$= 23 \times 2 = 46$개

15 가로 10[m], 세로 16[m], 천장 높이 3.85[m], 작업면 높이 0.85[m]인 사무실에 천장 직부형 형광등 F40×2를 설치하려고 한다. 다음 각 물음에 답하시오.

1) F40×2의 심벌을 KS C 0301 규정에 따라 그리시오.

2) 이 사무실의 실지수는 얼마인가?

3) 이 사무실의 작업면 조도를 300[lx], 천장 반사율 70[%], 벽 반사율 50[%], 바닥 반사율 10[%], F40×2 형광등 1개의 광속 3,150[lm], 보수율 70[%], 조명율 60[%]로 한다면 이 사무실에 필요한 형광등기구의 수를 구하시오.

정답 1) ▭○▭ 2) 2.05 3) 19[개]
F40×2

2) 실지수 $= \dfrac{XY}{H(X+Y)}$

$= \dfrac{10 \times 16}{(3.85-0.85) \times (10+16)} = 2.05$

3) $FUN = DES$

$N = \dfrac{DES}{FU}$

$= \dfrac{\frac{1}{0.7} \times 300 \times 10 \times 16}{3,150 \times 2 \times 0.6} = 18.14$[개]

16 고휘도 방전램프(HID : High Intensity Discharge lamp)의 종류를 3가지만 쓰시오.

> **정답** 1) 고압 수은등 2) 고압 나트륨등 3) 메탈 할라이드등

17 논리식이 다음과 같을 때, 유접점 회로를 그리시오. (단, 각 접점의 식별 문자를 표기하고 접속점 표기방식을 참고하여 작성하시오.)

1) 논리식 : $L = (\overline{X} + Y + \overline{Z})(X + \overline{Y} + \overline{Z})$

2) 유접점 회로

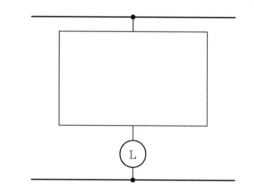

> **정답**
>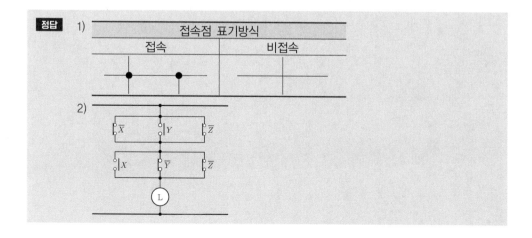

18 다음의 PLC 프로그램을 보고, 래더 다이어그램을 완성하시오. (단, 접속점을 표기할 것)

차례	명령	번지
0	STR	P00
1	OR	P01
2	STR NOT	P02
3	OR	P03
4	STR AND	–
5	AND NOT	P04
6	OUT	P10

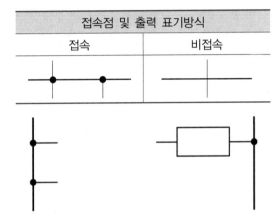

접속점 및 출력 표기방식	
접속	비접속

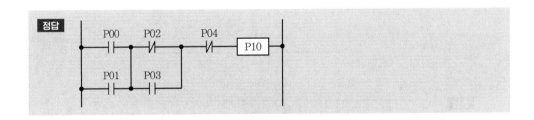

01 전등부하 120[kW], 동력부하 230[kW], 하절기 냉방부하 130[kW], 동절기 난방부하 70[kW]일 때, 변압기 용량을 선정하시오. (단, 역률은 85[%]이며, 부등률은 1.3이고 변압기 용량은 최대부하에 20[%]의 여유를 준다.)

| 조건 |

부하	전등부하	동력부하	하절기 냉방부하	동절기 난방부하
전력[kW]	120	230	130	70
수용률[%]	70	60	70	65

변압기 표준용량[kVA] : 100, 200, 300, 400, 500

정답 400[kVA] 선정

변압기 용량 $P = \dfrac{(120 \times 0.7) + (230 \times 0.6) + (130 \times 0.7)}{1.3 \times 0.85} \times 1.2 = 339.91[kVA]$

02 송전단 전압이 3,300[V]인 변전소로부터 5.8[km] 떨어진 곳까지 지중으로 역률 0.9(지상) 500[kW]의 3상 동력부하에 전력을 공급할 때 케이블의 허용전류 범위 내에서 전압강하율이 10[%]를 초과하지 않는 케이블을 다음 표를 보고 선정하시오.

(단, 케이블의 허용전류는 다음 표와 같으며 도체의 고유저항은 $\dfrac{1}{55}[\Omega \cdot mm^2/m]$로 하고 케이블의 정전용량 및 리액턴스 등은 무시한다.)

| 조건 |

〈조건 : 심선의 굵기와 허용전류〉

심선의 굵기[mm²]	30	38	58	60	80	100	150	180
허용전류[A]	40	60	100	110	120	130	190	220

정답 60[mm²]

1) 먼저 전압강하율을 이용하여 수전단 전압을 구하면

$\epsilon = \dfrac{V_s - V_r}{V_r}$

$$0.1 = \frac{3,300 - V_r}{V_r}$$

$$V_r = 3,000[\text{V}]$$

2) 전압강하 $e = V_s - V_r = 3,300 - 3,000 = 300[\text{V}]$

3) 전류 $I = \dfrac{P}{\sqrt{3}\,V_r \cos\theta}$

$$= \frac{500 \times 10^3}{\sqrt{3} \times 3,000 \times 0.9} = 106.916[\text{A}]$$

4) 전압강하 $e = \sqrt{3}\,I(R\cos\theta + X\sin\theta)$ (여기서 리액턴스 등을 무시하였으므로)

$$e = \sqrt{3}\,IR\cos\theta$$

$$e = \sqrt{3} \times I \times \rho \times \frac{l}{A} \times \cos\theta$$

$$A = \sqrt{3} \times I \times \rho \times \frac{l}{e} \times \cos\theta$$

$$= \sqrt{3} \times 106.916 \times \frac{1}{55} \times \frac{5.8 \times 10^3}{300} \times 0.9 = 58.585[\text{mm}^2]$$

03 공칭 전압이 140[kV]인 송전선이 있다. 이 송전선의 4단자 정수가 $A = 0.9$, $B = j\,70.7$, $C = j\,0.52 \times 10^{-3}$, $D = 0.9$이고, 무부하 시 송전단 전압이 154[kV]라고 한다. 다음 각 물음에 답하시오.

1) 수전단 전압[kV] 및 송전단 전류[A]를 구하시오.

2) 수전단 전압을 140[kV]로 유지하려고 할 때, 이때 수전단에서 필요로 하는 조상설비의 용량을 몇 [kVA]인가?

정답 1) (1) 171.11[kV]   (2) $j\,51.37$[A]
　　　2) 55,444.68[kVA]

1) (1) 수전단 전압
　　• 전파방정식
　　　－ $E_s = AE_r + BI_r$
　　　－ $I_s = CE_r + DI_r$
　　• 무부하이므로 $I_r = 0$이 된다.
　　• 따라서 수전단 전압 $V_r = \dfrac{V_s}{A} = \dfrac{154}{0.9} = 171.11$[kV]가 된다.

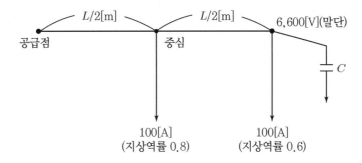

(2) 송전단 전류 I_s

$I_s = CV_r$이므로

$$I_s = C \times \frac{V_r}{\sqrt{3}} = j0.52 \times 10^{-3} \times \frac{171.11 \times 10^3}{\sqrt{3}} = j51.37[\text{A}]$$

2) $E_s = AE_r + BI_r$로서

$V_s = AV_r + \sqrt{3}BI_r$이 된다.

따라서 조상기의 전류 $I_r = \dfrac{V_s - AV_r}{\sqrt{3}B} = \dfrac{154 \times 10^3 - 0.9 \times 140 \times 10^3}{\sqrt{3} \times j70.7} = -j228.65[\text{A}]$가 된다.

조상설비 용량 $Q_c = \sqrt{3}V_rI_c \times 10^{-3}$

$\qquad = \sqrt{3} \times 140 \times 10^3 \times 228.65 \times 10^{-3} = 55,444.68[\text{kVA}]$가 된다.

---

04 다음 그림을 보고 주어진 물음에 답하시오. (단, 제시되지 않는 조건은 무시하도록 한다.)

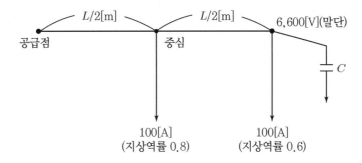

공급점을 지상 역률 0.9로 개선하는데 필요한 콘덴서 용량 $Q_c[\text{kVA}]$의 값을 구하시오.

정답 825.24[kVA]

중심에 흐르는 전류 $I_{중단} = 100 \times (0.8 - j0.6) = 80 - j60[\text{A}]$

말단에 흐르는 전류 $I_{말단} = 100 \times (0.6 - j0.8) = 60 - j80[\text{A}]$

따라서 공급점의 전류 $I = I_{중단} + I_{말단}$

$\qquad\qquad = (80 - j60) + (60 - j80) + I_c$

$\qquad\qquad = 140 - (j140 - I_c)$

역률이 0.9가 되어야 하므로

$$0.9 = \frac{140}{\sqrt{140^2 + (140 - I_c)^2}}$$

$I_c = 72.19[\text{A}]$가 된다.

따라서 $Q_c = \sqrt{3} \times V \times I_c$

$\qquad\qquad = \sqrt{3} \times 6,600 \times 72.19 \times 10^{-3} = 825.24[\text{kVA}]$

05 그림은 통상적인 단락, 지락보호에 쓰이는 방식으로 주보호와 후비보호의 기능을 지니고 있다. 도면을 보고 다음 각 물음에 답하시오.

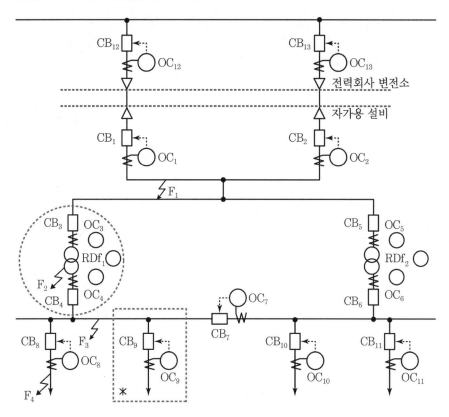

1) 사고점이 F_1, F_2, F_3, F_4라고 할 때 주보호와 후비보호에 대한 다음 표의 (   )에 들어갈 내용을 쓰시오.

사고점	주보호	후비보호
F_1	$OC_1 + CB_1$ And $OC_2 + CB_2$	(①)
F_2	(②)	$OC_1 + CB_1$ And $OC_2 + CB_2$
F_3	$OC_4 + CB_4$ And $OC_7 + CB_7$	$OC_3 + CB_3$ And $OC_6 + CB_6$
F_4	$OC_8 + CB_8$	$OC_4 + CB_4$ And $OC_7 + CB_7$

2) 그림은 도면의 ✳ 표 부분을 좀더 상세하게 나타낸 도면이다. 각 부분 ①~④에 대한 명칭을 쓰고, 보호 기능 구성상 ⑤~⑦의 부분을 검출부, 판정부, 동작부로 나누어 표현하시오.

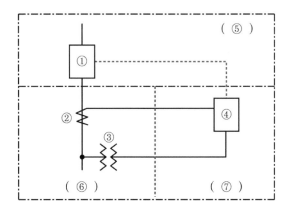

3) 답란의 그림 F_2 사고와 관련된 검출부, 판정부, 동작부의 도면을 완성하시오. (단, 질문 "2)"의 도면을 참고하시오.)

정답 1) ① $OC_{12} + CB_{12}$ AND $OC_{13} + CB_{13}$ ② $RDf_1 + OC_4 + CB_4$ AND $OC_3 + CB_3$
2) ① 차단기, ② 변류기, ③ 계기용 변압기, ④ 과전류계전기, ⑤ 동작부, ⑥ 검출부,
⑦ 판정부

3)

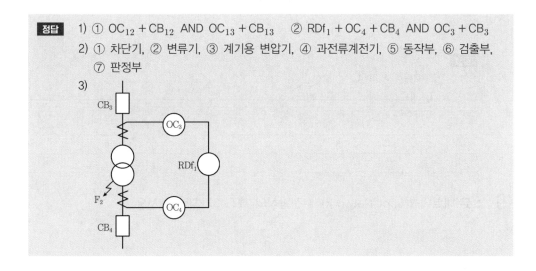

06 다음 그림의 명칭과 용도를 쓰시오.

1) 명칭

2) 용도

정답 1) 영상변류기   2) 비접지계통에 지락 시 영상전류를 검출한다.

07 한류저항기의 설치목적을 2가지만 쓰시오.

정답 1) 선택지락계전기를 동작시키기 위한 유효전류 발생
2) 중성점 불안정현상 등의 이상현상 억제

08 한류형 전력퓨즈의 단점을 4가지만 쓰시오.

정답 1) 재투입이 불가능하다.
2) 차단 시 과전압이 발생한다.
3) 과도전류에 쉽게 용단된다.
4) 전류-시간 특성을 조절할 수가 없다.

09 스폿 네트워크(Spot Network) 수전방식의 특징 3가지만 쓰시오.

정답 1) 무정전 전원 공급이 가능하다.
2) 전압변동률이 낮다.
3) 부하증가에 대한 적응성이 좋다.

10 고압용 개폐기·차단기·피뢰기 기타 이와 유사한 기구로서 동작 시에 아크가 생기는 경우 목재의 벽 또는 기타 천장의 가연성 물체로부터 몇 [m] 이상 이격하여 시설하여야 하는가?

정답 1

11 한국전기설비규정에서 정한 발전기에는 다음의 경우에 자동적으로 이를 전로로부터 차단하는 장치를 시설하여야만 한다. 다음 빈칸에 알맞은 말을 쓰시오.

1) 발전기에 과전류나 과전압이 생긴 경우

2) 용량이 (①)[kVA] 이상의 발전기를 구동하는 수차의 압유장치의 유압 또는 전동식 가이드밸 제어장치, 전동식 나이들 제어장치 또는 전동식 디플렉터 제어장치의 전원전압이 현저히 저하한 경우

3) 용량이 (②)[kVA] 이상의 발전기를 구동하는 풍차(風車)의 압유장치의 유압, 압축 공기장치의 공기압 또는 전동식 브레이드 제어장치의 전원전압이 현저히 저하한 경우

4) 용량이 (③)[kVA] 이상인 수차 발전기의 스러스트 베어링의 온도가 현저히 상승한 경우

5) 용량이 (④)[kVA] 이상인 발전기의 내부에 고장이 생긴 경우

6) 정격출력이 (⑤)[kW]를 초과하는 증기터빈은 그 스러스트 베어링이 현저하게 마모되거나 그의 온도가 현저히 상승한 경우

정답 ① 500 ② 100 ③ 2,000 ④ 10,000 ⑤ 10,000

12 다음은 한국전기설비규정에 정하는 기구 등의 전로의 절연내력 시험전압[V]에 대한 내용이다. ( )에 들어갈 내용을 답란에 쓰시오.

공칭전압	최대사용전압	시험전압
6,600[V]	6,900[V]	(①)
13,200[V](중성점 다중 접지식 전로)	13,800[V]	(②)
22,900[V](중성점 다중 접지식 전로)	24,000[V]	(③)

정답 ① 10,350[V] ② 12,696[V] ③ 22,080[V]

KEC 136 기구등의 절연내력의 시험전압에 대한 기준

종류	접지방식	시험전압 (최대사용전압의 배수)	최저 시험전압
1. 7[kV] 이하		1.5배	500[V]
2. 7[kV] 초과 25[kV] 이하	다중접지	0.92배	
3. 7[kV] 초과 60[kV] 이하(2란의 것 제외)		1.25배	10.5[kV]
4. 60[kV] 초과	비접지	1.25배	

5. 60[kV] 초과(7란의 것 제외)	접지식	1.1배	75[kV]
6. 170[kV] 초과(7란의 것 제외)	직접접지	0.72배	
7. 170[kV] 초과(발전소 또는 변전소 혹은 이에 준하는 장소에 시설하는 것)	직접접지	0.64배	

① $6,900 \times 1.5 = 10,350[V]$ ② $13,800 \times 0.92 = 12,696[V]$ ③ $24,000 \times 0.92 = 22,080[V]$

13 다음의 그림은 TN계통의 TN-C-S방식의 저압배전선로의 접지계통이다. 결선도를 완성하시오. (단, 중성선은 ⚡, 보호선은 ⚡, 보호선과 중성선을 겸한 선은 ⚡ 표시로 한다.)

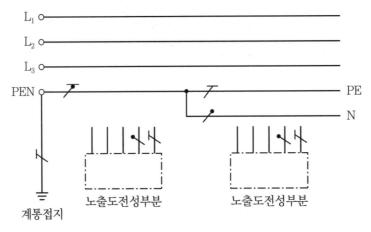

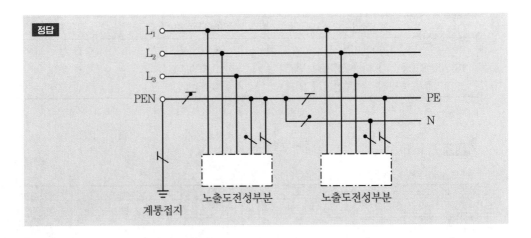

14 다음은 컴퓨터 등의 중요한 부하에 무정전 전원을 공급하기 위한 그림이다. 여기서 (가) ~ (마)에 적당한 전기 시설물의 명칭을 쓰시오.

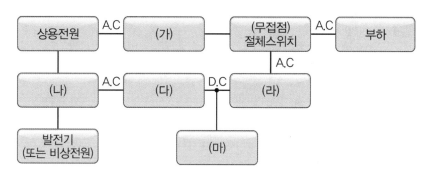

> **정답** (가) 자동전압조정기
> (나) 절체 개폐기
> (다) 정류기
> (라) 인버터
> (마) 축전지

15 다음은 한국전기설비규정에서 정한 지중전선로의 시설방법이다. 다음 괄호 안에 알맞은 말을 쓰시오.

1) 지중전선로는 전선에 케이블을 사용하고 또한 (①)·암거식(暗渠式)과 (②)에 의하여 시설하여야 한다.

2) (①)에 의하여 시설하는 경우에는 매설 깊이를 (③)[m] 이상으로 하되, 매설 깊이가 충분하지 못한 장소에는 견고하고 차량 기타 중량물의 압력에 견디는 것을 사용할 것. 다만, 중량물의 압력을 받을 우려가 없는 곳은 0.6[m] 이상으로 한다.

> **정답** ① 관로식
> ② 직접매설식
> ③ 1.0

16 전기설비의 방폭구조의 종류를 4가지만 쓰시오.

> **정답** 1) 내압 방폭구조
> 2) 압력 방폭구조
> 3) 유입 방폭구조
> 4) 안전증 방폭구조

17 전력시설물 공사감리업무 수행지침과 관련된 사항이다. ( ) 안에 알맞은 내용을 답란에 쓰시오.

> 감리원은 설계도서 등에 대하여 공사계약문서 상호 간의 모순되는 사항, 현장실정과의 부합여부 등 현장 시공을 주안으로 하여 해당 공사 시작 전에 검토하여야 하며 검토내용에는 다음 각 호의 사항 등이 포함되어야 한다.

1) 현장조건에 부합 여부

2) 시공의 (①) 여부

3) 다른 사업 또는 다른 공정과의 상호부합 여부

4) (②), 설계설명서, 기술계산서, (③) 등의 내용에 대한 상호일치 여부

5) (④), 오류 등 불명확한 부분의 존재 여부

6) 발주자가 제공한 (⑤)와 공사업자가 제출한 산출내역서의 수량일치 여부

7) 시공상의 예상문제점 및 대책 등

> **정답** ① 실제가능
> ② 설계도면
> ③ 산출내역서
> ④ 설계도서의 누락
> ⑤ 물량 내역서

18 그림과 같은 전자 릴레이 회로를 미완성된 다이오드 매트릭스 회로에 다이오드를 추가시켜
다이오드 매트릭스 회로로 바꾸어 그리시오.

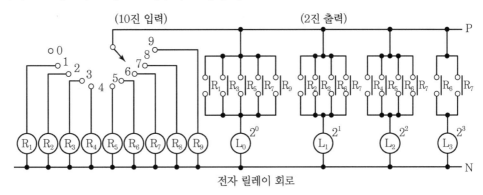

전자 릴레이 회로

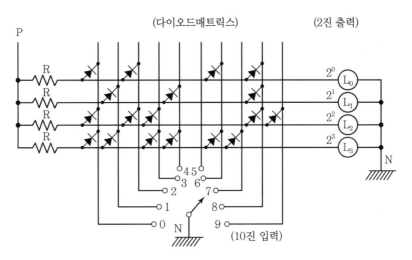

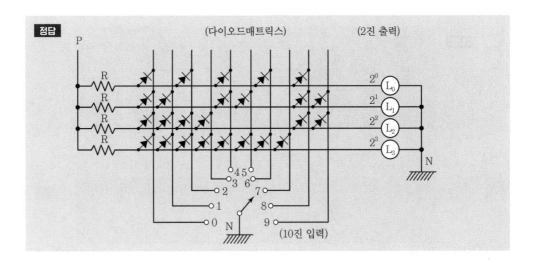

01 어느 공장의 1일 사용전력량이 120[kWh], 1일 최대전력이 8[kW], 최대공급전력일 때 전류 값은 15[A]이다. 이 경우 다음 각 물음에 답하시오. (단, 이 공장은 380[V]의 3상 유도전동 기를 부하설비로 사용한다.)

1) 1일 부하율[%]을 구하시오.

2) 최대공급전력일 때 역률[%]을 구하시오.

> **정답** 1) 62.5[%] 2) 81.03[%]
>
> 1) 부하율 $= \dfrac{\dfrac{\text{사용전력량}[kWh]}{\text{시간}[h]}}{\text{최대전력}[kW]} \times 100[\%]$
>
> $= \dfrac{\dfrac{120}{24}}{8} \times 100 = 62.5[\%]$
>
> 2) 최대공급전력일 때 역률[%]
>
> 역률 $\cos\theta = \dfrac{P}{P_a} = \dfrac{P}{\sqrt{3}\,VI} = \dfrac{8 \times 10^3}{\sqrt{3} \times 380 \times 15} \times 100 = 81.03[\%]$

02 평탄지에서 전선의 지지점의 높이가 같고, 경간이 100[m]인 지지물에서 경동선의 인장하중 이 1,480[kg], 중량 0.334[kg/m], 수평 풍압하중 0.608[kg/m], 안전율은 2.2이다. 이도는 몇 [m]인지 구하시오.

> **정답** 1.29[m]
>
> 이도 $D = \dfrac{WS^2}{8T} = \dfrac{0.693 \times 100^2}{8 \times \dfrac{1,480}{2.2}} = 1.29[m]$
>
> $W = \sqrt{W_1^2 + W_3^2} = \sqrt{0.334^2 + 0.608^2} = 0.693$

03 피뢰기 제한전압을 설명하시오.

> **정답** 피뢰기 동작 중 그 단자에 남는 파고값

04 파동 임피던스가 400[Ω]인 가공전선로에 파동임피던스가 50[Ω]인 케이블이 접속되었다. 이때 입사전압이 600[kV], 공칭방전전류가 1,000[A]일 때, 피뢰기 제한전압을 구하시오.

> **정답** 88.89[kV]
>
> 피뢰기 제한전압
> $$e_a = \frac{2Z_2}{Z_1 + Z_2} \times e_i - \frac{Z_1 Z_2}{Z_1 + Z_2} i_a$$
> $$= \frac{2 \times 50}{400 + 50} \times 600 - \frac{400 \times 50}{400 + 50} \times 1,000 \times 10^{-3} = 88.89[kV]$$

05 50[kVA]의 변압기가 그림과 같은 부하로 운전되고 있다. 오전에는 역률 80[%]로 오후에는 100[%]로 운전된다고 할 때 전일효율은 몇 [%]가 되겠는가? (단, 이 변압기의 철손은 600[W], 전부하 시 동손은 1,000[W]이다.)

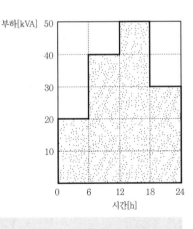

> **정답** 96.56[%]
>
> 변압기의 효율 $\eta = \frac{출력}{출력 + 철손 + 동손} \times 100[\%]$
>
> 1) 출력 $= (20 \times 0.8 \times 6) + (40 \times 0.8 \times 6) + (50 \times 1 \times 6) + (30 \times 1 \times 6) = 768[kWh]$
> 2) 철손 $= 0.6 \times 24 = 14.4[kWh]$
> 3) 동손 $= [(\frac{20}{50})^2 \times 1 \times 6 + (\frac{40}{50})^2 \times 1 \times 6 + (\frac{50}{50})^2 \times 1 \times 6 + (\frac{30}{50})^2 \times 1 \times 6 = 12.96[kWh]$
> 4) 효율 $\eta = \frac{768}{768 + 14.4 + 12.96} \times 100 = 96.56[\%]$

06 다음 차단기의 명칭을 쓰시오.

1) VCB

2) OCB

3) ACB

> **정답**   1) 진공차단기   2) 유입차단기   3) 기중차단기

07 계기정수가 1,000[rev/kWh], 전력량계의 원판이 5회전하는데 40초가 걸렸다. 이 부하의 평균전력은 몇 [kW]인가?

> **정답**   0.45[kW]
>
> 사용전력 $P = \dfrac{3,600n}{tk}$ [kW]
>
> $\qquad\quad = \dfrac{3,600 \times 5}{40 \times 1,000} = 0.45$ [kW]

08 다음 그림은 배전반에서 계측을 하기 위한 계기용 변성기이다. 아래 그림을 보고 명칭, 약호, 심벌, 역할에 알맞은 내용을 쓰시오.

구분		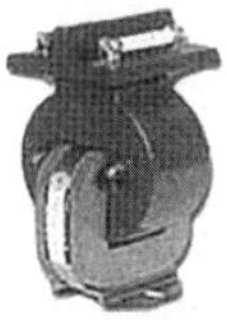
명칭		
약호		
심벌		
역할		

정답		
구분		
명칭	계기용 변류기	계기용 변압기
약호	CT	PT
심벌		
역할	대전류를 소전류(정격 5[A])로 변성한다.	고전압을 저전압(정격 110[V])로 변성한다.

09 부하설비의 역률이 90[%] 이하로 낮아지는 경우 수용가가 볼 수 있는 손해를 4가지만 쓰시오.
(단, 역률은 지상역률이다.)

정답
1) 전력손실이 커진다.
2) 전압강하가 커진다.
3) 전기요금이 증가한다.
4) 전원 설비용량이 증가한다.

10 다음은 한국전기설비규정에서 정한 전선의 식별에 따른 색상을 쓰시오.

상(문자)	색상
L1	
L2	
L3	
N	
보호도체	

상(문자)	색상
L1	갈색
L2	흑색
L3	회색
N	청색
보호도체	녹색−노란색

11 다음은 간이수변전설비의 단선도 일부이다. 각 물음에 답하시오.

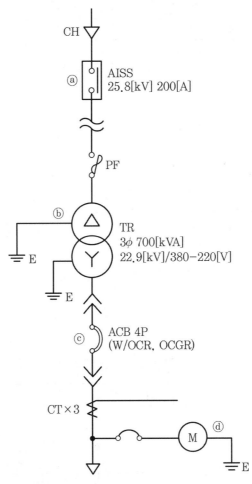

1) 간이수변전설비의 단선도에서 ⓐ는 인입구 개폐기인 자동고장구분개폐기이다. 다음 (   )
안에 들어갈 내용을 답란에 쓰시오.

22.9[kV−y] (①)[kVA] 이하에 적용이 가능하며, 300[kVA] 이하의 경우에는 자동고장
구분개폐기 대신에 (②)를 사용할 수 있다.

2) 간이수변전설비의 단선도에서 ⓑ에 설치된 변압기에 대하여 다음 (   )에 들어갈 내용을 답란에 쓰시오.

> "과전류강도는 최대부하전류의 (①   )배 전류를 (②   )초 동안 흘릴 수 있어야 한다."

3) 간이수변전설비의 단선도에서 ⓒ는 ACB이다. **보호요소를 3가지만 쓰시오.**

4) 간이수변전설비의 단선도에서 ⓓ에 설치된 저압기기에 대하여 다음 (   )에 들어갈 내용을 답란에 쓰시오.

> "접지선의 굵기를 결정하기 위한 계산조건에서 접지선에 흐르는 고장전류의 값은 전원측 과전류 차단기의 정격전류의 (①   )배의 고장전류로 과전류 차단기가 최대 (②   )초 이하에서 차단을 완료했을 때 접지선의 허용온도는 최대 (③   )[℃] 이하로 보호되어야 한다."

5) 간이수변전설비의 단선도에서 변류기의 변류비를 선정하시오. (단, CT의 정격전류는 부하전류의 125[%]로 하며, 표준규격[A]는 1차 : 1,000, 1,200, 1,500, 2,000이며, 2차는 5로 한다.)

정답 1) ① 1,000 ② 인터럽트 스위치
2) ① 25 ② 2
3) (1) 과전류 (2) 부족전압 (3) 결상
4) ① 20 ② 0.1 ③ 160
5) $I = \dfrac{700 \times 10^3}{\sqrt{3} \times 380} \times 1.25 = 1,329.42[A]$
따라서 1,500/5 선정한다.

---

12 3상 농형 유도전동기의 기동방식을 3가지만 쓰시오.

정답 1) 직입기동
2) Y-Δ기동
3) 리액터기동

---

13 다음 표를 보고 설명에 해당하는 전동기의 정격을 쓰시오.

전동기의 정격 구분	설명
①	지정조건 밑에서 연속으로 사용할 때 규정으로 정해진 온도 상승, 기타의 제한을 넘지 않는 정격
②	지정된 일정한 단시간의 사용 조건으로 운전할 때, 규정으로 정해진 온도 상승, 기타의 제한을 넘지 않는 정격
③	지정조건 하에서 반복 사용하는 경우, 규정으로 정해진 온도 상승, 기타의 제한을 넘지 않는 정격

> **정답** ① 연속정격
> ② 단시간정격
> ③ 반복정격

14 한시(Time Delay)계전기의 동작시간에 따른 특성을 설명하시오.

1) 정한시형

2) 반한시형

3) 반한시 정한시

> **정답** 1) 일정 조건이 만족되면 크기에 관계없이 정해진 시간에 동작하는 계전기
> 2) 크기가 크면 시간이 짧고, 크기가 작으면 시간이 길어지는 계전기
> 3) 동작전류가 적은구간은 반한시성 계전기이며, 동작전류가 크면 정한시를 띄는 계전기

15 전력기술관리법에 따른 종합설계업의 기술인력 등록 기준을 3가지 쓰시오.

> **정답** 1) 전기 분야 기술사 2명   2) 설계사 2명   3) 설계보조자 2명

16 바닥으로부터 3[m] 떨어진 높이에 300[cd]의 전등이 있다. 그 바로 아래에서 수평으로 4[m] 떨어진 지짐에서의 수평면 조도 E_h[lx]를 구하시오.

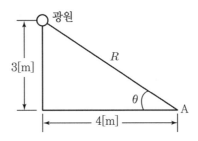

정답 7.2[lx]

수평면 조도 $E_h = \dfrac{I}{r^2}\cos\theta$

$$= \frac{300}{(\sqrt{3^2+4^2})^2} \times \frac{3}{\sqrt{3^2+4^2}} = 7.2[\text{lx}]$$

17 주어진 그림을 보고 다음 각 물음에 답하시오.

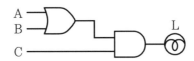

1) 간단한 논리식을 작성하시오.

2) 1)에서 구한 논리식으로 미완성 유접점 회로도를 완성하시오.

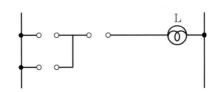

정답

1) $(A+B) \times C$

2)

18 다음 요구사항을 만족하는 미완성 시퀀스 회로도를 완성하시오.

┤ 요구사항 ├

1) 전원 스위치 MCCB를 투입하면, GL램프가 점등된다.
2) 푸시버튼 PB_1을 누르면 MC가 여자되고 자기유지되며, 동시에 MC의 보조스위치에 의해 GL램프가 소등되고 RL램프가 점등된다.
3) 푸시버튼 PB_2를 누르면 MC에 흐르는 전류가 끊겨 전동기가 정지하며, 동시에 MC의 보조스위치에 의해 GL램프가 점등되고 RL램프가 소등된다.
4) 고장 시 과전류가 흐르면 THR이 동작하여 모든 회로는 정지된다.

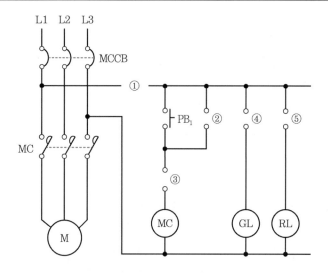

정답	①	②	③	④	⑤
	o-x-o THR	PB$_2$	MC	MC	MC

19 반사율 65[%]의 완전 확산성 종이를 200[lx]의 조도로 비추었을 때 표면체 휘도[cd/m^2]는 약 얼마인가?

정답 41.38[cd/m^2]

완전확산면시 $R = \pi B = \rho E$

휘도 $B = \dfrac{\rho E}{\pi} = \dfrac{0.65 \times 200}{\pi} = 41.38[\text{cd/m}^2]$

01 그림과 같은 계통의 기기의 A점에서 완전 지락이 발생하였다. 그림을 이용하여 다음 각 물음에 답하시오. [6점]

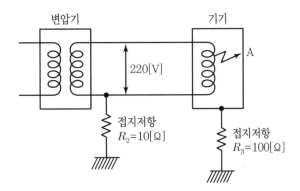

1) 이 기기의 외함에 인체가 접촉하고 있지 않은 경우, 이 외함의 대지전압[V]을 구하시오.

2) 이 기기의 외함에 인체가 접촉하였을 경우 인체를 통해서 흐르는 전류[mA]를 구하시오.
   (단, 인체의 저항은 3,000[Ω]으로 한다.)

정답 1) 200[V]   2) 66.47[mA]

1) 외함의 전압 $V' = \dfrac{R_3}{R_2+R_3} \times V$

$= \dfrac{100}{10+100} \times 220$

$= 200[V]$

2) 인체에 흐르는 전류 $I = \dfrac{R_3}{R_3+R_{인}} \times \dfrac{V}{R_2 + \dfrac{R_3 R_{인}}{R_3+R_{인}}}$

$= \dfrac{100}{100+3,000} \times \dfrac{220}{10+\dfrac{100\times3,000}{100+3,000}} \times 10^3 = 66.47[mA]$

02 다음 조건을 참고하여 연면적 420[m²]인 건물에서 표준부하에 따른 각각의 변압기 용량을 표에서 선정하시오. (단, 전등은 단상부하이고 역률은 1이며, 동력부하, 냉방부하는 3상 부하이며 역률은 0.95, 0.9이다.)

종류	표준부하[W/m²]	수용률
전등부하	30	75[%]
동력부하	50	65[%]
냉방부하	35	70[%]

구분	표준용량[kVA]
단상변압기	3, 5, 7.5, 10, 15, 20, 30, 50
3상변압기	3, 5, 7.5, 10, 15, 20, 30, 50

1) 전등용 변압기

2) 동력용 변압기

3) 냉방용 변압기

정답 1) 단상변압기 10[kVA] 선정 2) 3상변압기 15[kVA] 선정 3) 3상변압기 15[kVA] 선정

1) 전등용 변압기

$$P_{전등} = \frac{30 \times 420 \times 0.75}{1} \times 10^{-3} = 9.45[kVA]$$

따라서 단상변압기 10[kVA] 선정

2) 동력용 변압기

$$P_{동력} = \frac{50 \times 420 \times 0.65}{0.95} \times 10^{-3} = 14.37[kVA]$$

따라서 3상변압기 15[kVA] 선정

3) 냉방용 변압기

$$P_{냉방} = \frac{35 \times 420 \times 0.7}{0.9} \times 10^{-3} = 11.43[kVA]$$

따라서 3상변압기 15[kVA] 선정

03 다음은 한국전기설비규정 용어의 정의이다. 〈보기〉를 참고하여 알맞은 내용을 쓰시오.

> ┤ 보기 ├
>
> 급전소, 변전소, 발전소, 개폐소, 배선, 전선로, 전선, 전로

1) 전력계통의 운용에 관한 지시 및 급전조작을 하는 곳을 말한다.

2) 강전류 전기의 전송에 사용하는 전기 도체, 절연물로 피복한 전기 도체 또는 절연물로 피복한 전기 도체를 다시 보호 피복한 전기 도체를 말한다.

3) 통상의 사용 상태에서 전기가 통하고 있는 곳을 말한다.

4) 발전소·변전소·개폐소·이에 준하는 곳, 전기사용장소 상호 간의 전선 및 이를 지지하거나 수용하는 시설물을 말한다.

정답 1) 급전소   2) 전선   3) 전로   4) 전선로

04 다음은 콘센트에 대한 시설 기준을 말한다. 조건을 읽고 알맞은 내용을 쓰시오.

> "욕조나 샤워시설이 있는 욕실 또는 화장실 등 인체가 물에 젖어있는 상태에서 전기를 사용하는 장소에 콘센트를 시설하는 경우에는 다음에 따라 시설하여야 한다."

「전기용품 및 생활용품 안전관리법」의 적용을 받는 인체감전보호용 누전차단기(정격감도전류 (①)mA 이하, 동작시간 (②)초 이하의 전류동작형의 것에 한한다) 또는 절연변압기(정격용량 (③)[kVA] 이하인 것에 한한다)로 보호된 전로에 접속하거나, 인체감전보호용 누전차단기가 부착된 콘센트를 시설하여야 한다.

정답 ① 15   ② 0.03   ③ 3

05 부등률의 정의를 쓰시오.

정답 합성 최대수용전력에 대한 개별 최대수용전력의 합의 비

06 3상 비접지식에서 영상 전압을 얻기 위하여 사용하는 기기는 무엇인가?

> **정답** GPT(접지형 계기용 변압기)

07 길이 50[km]인 송전선 한 줄마다의 애자 수는 300련이다. 애자 1련의 누설저항이 10^3[MΩ]
이라면, 이 선로의 누설 컨덕턴스는 몇 [$\mu\mho$]인가?

> **정답** 0.3[$\mu\mho$]
>
> 누설 컨덕턴스 $G = \dfrac{1}{절연저항} = \dfrac{1}{3.33 \times 10^6} \times 10^6 = 0.3[\mu\mho]$
>
> 누설저항 $R = \dfrac{10^3}{300} = 3.33[MΩ]$

08 변류기(CT) 2대를 V결선하여 OCR 3대를 그림과 같이 연결하여 사용할 경우 다음 각 물음에
답하시오.

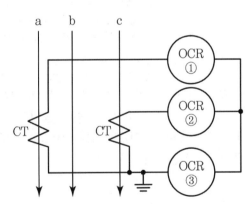

1) 우리나라에서 사용하는 변류기(CT)의 극성은 일반적으로 어떤 극성을 사용하는가?

2) ③번 OCR에 흐르는 전류는 어떤 상의 전류인가?

3) OCR은 주로 어떤 사고가 발생하였을 때 동작하는가?

4) 통전 중에 있는 변류기 2차측 기기를 교체하고자 할 때 가장 먼저 취하여야 할 조치는
무엇인지 쓰시오.

> **정답** 1) 감극성 2) b상 전류 3) 단락전류 4) 2차측 단락

09 1차측 탭 전압이 22,900[V]이고, 2차 전압이 380[V]일 때, 2차측 전압이 370[V]로 측정되었다. 탭 전압을 22,900[V]에서 21,900[V]로 했을 때, 2차측 전압을 구하시오.

> **정답** 386.89[V]
>
> 권수비 $a = \dfrac{N_1}{N_2} = \dfrac{V_1}{V_2}$, 여기서 N_2가 고정이고 V_1이 고정이면
>
> $N_1 \propto \dfrac{1}{V_2}$ 가 된다. 따라서 $22,900 : \dfrac{1}{370} = 21,900 : \dfrac{1}{V'}$
>
> $21,900 \times \dfrac{1}{370} = 22,900 \times \dfrac{1}{V'}$
>
> $V' = 22,900 \times \dfrac{370}{21,900} = 386.89[V]$

10 다음 그림과 같은 변전설비에서 무정전 상태로 차단기를 점검하고자 할 때 조작순서를 기구기호를 이용하여 설명하시오. (단, S_1, R_1은 단로기, T_1은 By-pass 단로기, TR은 변압기이며, T_1은 평상시 개방되어 있는 상태이다.)

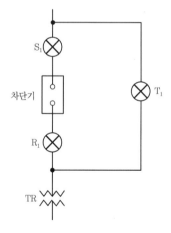

> **정답** T_1(On) → 차단기(Off) → R_1(OFF) → S_1(OFF)

11 3상 154[kV] 회로도가 그림과 같다. 조건을 이용하여 F점에서 3상 단락고장이 발생하였을 때 단락전류 등을 154[kV], 100[MVA] 기준으로 계산하시오.

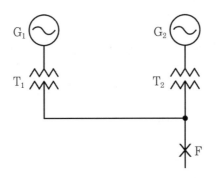

┤ 조건 ├

1) 발전기 G_1 : 20[MVA], $\%Z_{G1} = 30[\%]$
   G_2 : 5[MVA], $\%Z_{G2} = 30[\%]$

2) 변압기 T_1 : 전압 11/154[kV], 용량 : 20[MVA], $\%Z_{T1} = 10[\%]$
   T_2 : 전압 6.6/154[kV], 용량 : 5[MVA], $\%Z_{T2} = 10[\%]$

3) 송전선로 : 전압 154[kV], 용량 20[MVA], $\%Z_{TL} = 5[\%]$ (여기서 $\%Z_{TL}$은 접속점으로부터 F까지를 말한다.)

(1) 정격전압과 정격용량을 각각 154[kV], 100[MVA]로 할 때 정격전류(I_n)를 구하시오.

(2) 발전기(G_1, G_2), 변압기(T_1, T_2) 및 송전선로의 %임피던스 $\%Z_{G1}$, $\%Z_{G2}$, $\%Z_{T1}$, $\%Z_{T2}$, $\%Z_{TL}$을 구하시오.

(3) F점에서의 합성 %임피던스를 구하시오.

(4) F점에서의 3상 단락전류 I_s를 구하시오.

(5) F점에 설치할 차단기의 용량을 구하시오.

정답 (1) 374.9[A] (2) ① 150[%] ② 600[%] ③ 50[%] ④ 200[%] ⑤ 25[%]
      (3) 185[%]   (4) 202.65[A] (5) 59.67[MVA]

(1) 정격전류 $I_n = \dfrac{P}{\sqrt{3}\,V} = \dfrac{100 \times 10^6}{\sqrt{3} \times 154 \times 10^3} = 374.9[A]$

(2) ① $\%Z_{G1} = \dfrac{100}{20} \times 30 = 150[\%]$

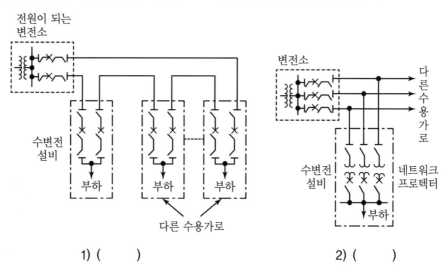

② $\%Z_{G2} = \dfrac{100}{5} \times 30 = 600 [\%]$

③ $\%Z_{T1} = \dfrac{100}{20} \times 10 = 50 [\%]$

④ $\%Z_{T2} = \dfrac{100}{5} \times 10 = 200 [\%]$

⑤ $\%Z_{TL} = \dfrac{100}{20} \times 5 = 25 [\%]$

(3) F점까지의 합성 %임피던스를 구하면

$$\%Z = \%Z_{TL} + \frac{(\%Z_{G1} + \%Z_{T1}) \times (\%Z_{G2} + \%Z_{T2})}{(\%Z_{G1} + \%Z_{T1}) + (\%Z_{G2} + \%Z_{T2})}$$

$$= 25 + \frac{(150+50) \times (600+200)}{(150+50) + (600+200)} = 185 [\%]$$

(4) 단락전류 $I_s = \dfrac{100}{\%Z} I_n$

$$= \frac{100}{185} \times 374.9 = 202.65 [A]$$

(5) $P_s = \sqrt{3} \times 170 \times 10^3 \times 202.65 \times 10^{-6} = 59.67 [MVA]$

12 다음 수전설비시스템에 대한 도면을 보고 어떠한 수전방식인가 답하시오.

1) (　　　)　　　　　　　　　2) (　　　)

정답　1) 환상식(루프식)　2) 스폿네트워크 방식

13 화력발전소의 시간당 중유로 12[ton]을 써서 평균전력 40,000[kW]를 발전하였다. 중유의
발열량은 10,000[kcal/kg]일 때, 발전소의 효율[%]을 구하시오.

정답 28.67[%]

화력발전소의 열효율

$$\eta = \frac{860\,Pt}{MH} \times 100\,[\%]$$

$$= \frac{860 \times 40,000 \times 1}{12 \times 10^3 \times 10,000} \times 100 = 28.666\,[\%]$$

14 과도적인 과전압을 제한하고 서지(Surge)전류를 분류하는 목적으로 사용되는 서지보호장치
(SPD : Surge Protective Device)에 대한 다음 물음에 답하시오.

1) 기능에 따라 3가지로 분류하시오.

2) 구조에 따라 2가지로 분류하시오.

정답 1) (1) 전압스위칭형 (2) 전압제한형 (3) 복합형
2) (1) 1포트 (2) 2포트

15 전기공사업령 중 등록사항은 변경사항에 대한 내용에서 공사업자는 등록사항에 "대통령령에
대한 중요사항"이 변경된 경우, 그 사실을 시·도지사에게 신고해야 한다. 여기서 "대통령령
에 대한 중요사항" 2가지를 쓰시오.

정답 1) 대표자   2) 상호 또는 명칭

16 면적이 1,200[m²]인 사무실에 평균조도 300[lx]를 얻기 위하여 40[W]인 형광등을 사용했을 때 필요한 등 수는? (단, 형광등의 전광속은 2,500[lm], 조명률은 0.7, 감광보상률은 1.5 이다.)

정답 309[등]

$$FUN = DES$$
$$N = \frac{DES}{FU}$$
$$= \frac{1.5 \times 300 \times 1,200}{2,500 \times 0.7} = 308.57[등]$$

17 다음은 어떤 단위 영역에 평균조도 E_1, E_2, E_3, E_4를 측정한 것이다. 4점법에 의한 평균조도를 계산하시오. (이때 꼭짓점 사이의 거리는 동일하다.)

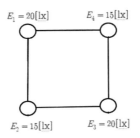

$E_1 = 20[\text{lx}]$ $E_4 = 15[\text{lx}]$

$E_2 = 15[\text{lx}]$ $E_3 = 20[\text{lx}]$

정답 17.5[lx]

$$E = \frac{1}{4}(20 + 15 + 20 + 15) = 17.5[\text{lx}]$$

18 다음 그림기호의 정확한 명칭을 쓰시오.

그림기호	명칭
CT	
TS	
÷	
⊣⊢	
Wh	

정답

그림기호	명칭
CT	변류기(상자)
TS	타임스위치
÷	콘덴서
⊣⊢	축전지
Wh	전력량계(상자들이 또는 후드붙이)

19 어느 회사에서 한 부지에 A, B, C의 세 공장을 세워 3대의 급수 펌프 P_1(소형), P_2(중형), P_3(대형)으로 다음 계획에 따라 급수계획을 세웠다. 조건과 미완성 시퀀스 참고사항을 보고 다음 각 물음에 답하시오.

> [참고사항]
> 1) 공장 A, B, C가 모두 휴무일 때 또는 그중 한 공장만 가동할 때에는 펌프 P_1만 가동시킨다.
> 2) 공장 A, B, C 중 어느 것이나 두 개의 공장만 가동할 때에는 P_2만 가동시킨다.
> 3) 공장 A, B, C가 모두 가동할 때에는 P_3만 가동시킨다.

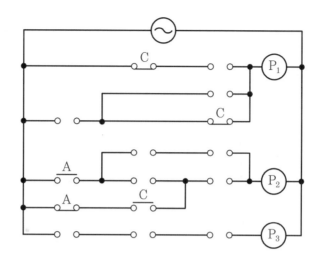

1) 위의 조건에 대한 진리표를 완성하시오.

A	B	C	P₁	P₂	P₃
0	0	0			
1	0	0			
0	1	0			
0	0	1			
1	1	0			
1	0	1			
0	1	1			
1	1	1			

2) 주어진 미완성 시퀀스 도면에 접점과 그 기호를 삽입하여 도면을 완성하시오.

3) P_1, P_2, P_3의 출력식을 가장 간단한 식으로 표현하시오.

정답 1)

A	B	C	P1	P2	P3
0	0	0	1	0	0
1	0	0	1	0	0
0	1	0	1	0	0
0	0	1	1	0	0
1	1	0	0	1	0
1	0	1	0	1	0
0	1	1	0	1	0
1	1	1	0	0	1

2)

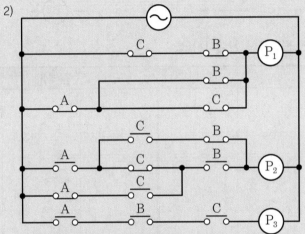

3) $P_1 = \overline{A}\,\overline{B}\,\overline{C} + \overline{A}\,\overline{B}C + \overline{A}B\overline{C} + A\overline{B}\,\overline{C}$

$\quad = \overline{A}\,\overline{B}\,\overline{C} + \overline{A}\,\overline{B}C + \overline{A}B\overline{C} + A\overline{B}\,\overline{C} + \overline{A}\,\overline{B}\,\overline{C} + \overline{A}\,\overline{B}\,\overline{C}$

$\quad = \overline{A}\,\overline{B}(C + \overline{C}) + \overline{A}\,\overline{C}(B + \overline{B}) + \overline{B}\,\overline{C}(A + \overline{A})$

$\quad = \overline{A}(\overline{B} + \overline{C}) + \overline{B}\,\overline{C}$

$\quad P_2 = \overline{A}BC + A\overline{B}C + AB\overline{C} = \overline{A}BC + A(\overline{B}C + B\overline{C})$

$\quad P_3 = ABC$

전기산업기사 실기 기출문제

01 평형 3상 부하를 측정한 전력 지시값이다. 주어진 물음에 답하시오.

$$W_1 = 2.2[kW], \ W_2 = 5.8[kW]$$

1) 이때의 역률은 몇 [%]인가?

2) 역률을 85[%]로 개선시키기 위한 전력용 커패시터 용량은 몇 [kVA]가 되는가?

정답 1) 78.9[%] 2) 1.27[kVA]

1) 역률 $\cos\theta = \dfrac{P}{P_a} \times 100[\%]$

2전력계법에서의 피상전력
$$P_a = 2\sqrt{W_1^2 + W_2^2 - W_1 W_2}$$
$$= 2\sqrt{2.2^2 + 5.8^2 - 2.2 \times 5.8} = 10.14[kVA]$$
유효전력 $P = W_1 + W_2$
$$= 2.2 + 5.8 = 8[kW]$$
따라서 역률 $\cos\theta = \dfrac{8}{10.14} \times 100 = 78.9[\%]$

2) $Q_c = P\left(\dfrac{\sqrt{1-\cos^2\theta_1}}{\cos\theta_1} - \dfrac{\sqrt{1-\cos^2\theta_2}}{\cos\theta_2}\right)$
$$= 8 \times \left(\dfrac{\sqrt{1-0.789^2}}{0.789} - \dfrac{\sqrt{1-0.85^2}}{0.85}\right)$$
$$= 1.27[kVA]$$

02 한국전기설비규정에 따라 수용가 설비의 인입구로부터 기기까지의 전압강하는 다음 표의 값 이하이어야 한다. 다음 (   )에 들어갈 내용을 답란에 쓰시오. (단, 한국전기설비규정에 따른 다른 조건을 고려하지 않는 경우이다.)

설비의 유형	조명(%)	기타(%)
A – 저압으로 수전하는 경우	(①)	(②)
B – 고압 이상으로 수전하는 경우*	(③)	(④)

* 가능한 한 최종회로 내의 전압강하가 A유형의 값을 넘지 않도록 하는 것이 바람직하다. 사용자의 배선설비가 100[m]를 넘는 부분의 전압강하는 미터당 0.005[%] 증가할 수 있으나 이러한 증가분은 0.5[%]를 넘지 않아야 한다.

정답	①	②	③	④
	3	5	6	8

03 단상 2선식 220[V]의 옥내배선에서 소비전력 40[W], 역률 85[%]의 LED 형광등 85등을 설치할 때 16[A]의 분기회로 수는 최소 몇 회로인지 구하시오. (단, 한 회선의 부하전류는 분기회로 용량의 80[%]로 하고 수용률은 100[%]로 한다.)

> **정답** 16[A] 분기회로 2회로 선정
>
> 분기회로수 $N = \dfrac{\text{부하용량}[VA]}{\text{전압}[V] \times \text{전류}[A]}$
>
> $\qquad\qquad = \dfrac{\dfrac{40}{0.85} \times 85}{220 \times 16 \times 0.8} = 1.42[\text{회로}]$
>
> 따라서 16[A] 분기회로 2회로 선정

04 부하전력과 역률이 일정할 때 전압을 2배로 승압 시 선로손실과 선로손실률은 승압 전에 비하여 몇 [%]가 되는가?

1) 선로손실

2) 선로손실률

> **정답** 1) 25[%]   2) 25[%]
>
> 1) 전력손실 $P_\ell = \dfrac{P^2}{V^2 \cos^2\theta} R$로서 $P_\ell \propto \dfrac{1}{V^2}$이 된다.
>
> 따라서 전압이 두 배 승압되었으므로 전력손실은 $\dfrac{1}{4}$배가 되어 25[%]가 된다.
>
> 2) 전력손실률 $K = \dfrac{P}{V^2 \cos^2\theta} R$로서 $K \propto \dfrac{1}{V^2}$이 된다.
>
> 따라서 전압이 두 배 승압되었으므로 전력손실률은 $\dfrac{1}{4}$배가 되어 25[%]가 된다.

05 3상 3선식 배전선로에서 저항이 12[Ω], 리액턴스가 24[Ω]이고, 전압강하율을 10[%]로 하기 위해 선로말단에 설치할 수 있는 3상 최대평형부하[kW]는? (단, 수전단 전압은 6,600[V], 부하 역률은 0.8(지상)이다.)

> **정답** 145.198[kW]
>
> 1) 전압강하율이 주어졌으므로
>
> $$\epsilon = \frac{V_s - V_r}{V_r}$$
>
> $$0.1 = \frac{V_s - 6,600}{6,600}$$
>
> $$V_s = 7,260[V]$$
>
> 2) 전압강하 $e = V_s - V_r = 7,260 - 6,600 = 660[V]$
>
> $$e = \sqrt{3}\,I(R\cos\theta + X\sin\theta)$$
>
> $$I = \frac{e}{\sqrt{3}\,(R\cos\theta + X\sin\theta)}$$
>
> $$= \frac{660}{\sqrt{3}\times(12\times0.8 + 24\times0.6)} = 15.877[A]$$
>
> 3) 전력 $P_r = \sqrt{3}\,V_r I\cos\theta$
>
> $$= \sqrt{3}\times6,600\times15.877\times0.8\times10^{-3} = 145.198[kW]$$

06 3상 변압기 병렬운전조건을 2가지만 쓰시오.

> **정답** 1) 극성이 같을 것
> 2) 정격전압 및 권수비가 같을 것
> 3) %임피던스가 같을 것
> 4) 저항과 리액턴스의 비가 같을 것

07 그림은 갭형 피뢰기와 갭레스형 피뢰기의 구조를 나타낸 것이다. 화살표로 표시된 각 부분
①～⑥의 명칭을 쓰시오.

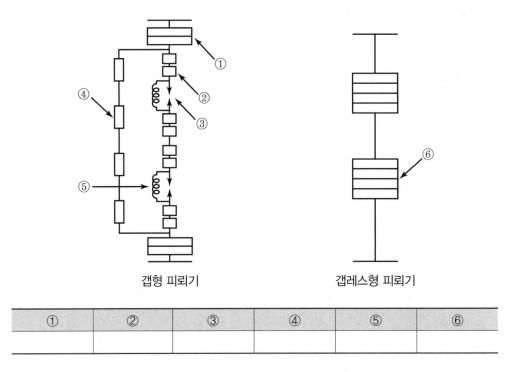

갭형 피뢰기   갭레스형 피뢰기

①	②	③	④	⑤	⑥

정답	①	②	③	④	⑤	⑥
	특성요소	주갭	측로갭	분로저항	소호코일	특성요소

08 단상 유도전동기의 기동방식 4가지를 쓰시오.

정답
1) 반발기동형
2) 콘덴서기동형
3) 분상기동형
4) 셰이딩코일형

09 지표면상 16[m] 높이의 수조가 있다. 이 수조에 시간당 4,500[m³]의 물을 양수하는데 필요한 펌프용 전동기의 소요동력은 몇 [kW]인가? (단, 펌프의 효율은 60[%]로 하고, 여유계수는 1.2로 한다.)

정답 392.16[kW]

양수펌프용 전동기 용량 P

$$P = \frac{KQH}{6.12\eta}$$

$$= \frac{1.2 \times \frac{4,500}{60} \times 16}{6.12 \times 0.6} = 392.16[kW]$$

10 그림은 어느 공장의 수전설비의 계통도이다. 이 계통과 뱅크의 부하용량표, 변류기의 규격표를 참고하여 다음 각 물음에 답하시오. (단, 용량산출 시 제시되지 않은 조건은 무시한다.)

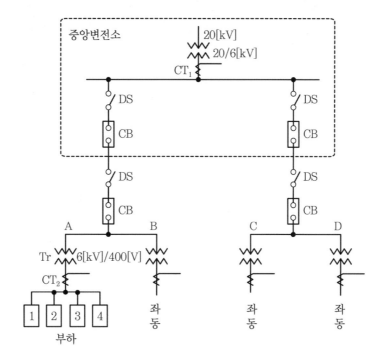

▶ 뱅크의 부하 용량표

피더	부하설비용량[kW]	수용률[%]
1	125	80
2	125	80
3	500	60
4	600	84

▶ 변류기 규격표

항목	변류기
정격 1차 전류[A]	5, 10, 15, 20, 30, 40, 50, 75, 100, 150, 200, 300, 400, 500, 600, 750, 1,000, 1,500, 2,000, 2,500
정격 2차 전류[A]	5

1) A, B, C, D 뱅크에 같은 부하가 걸려 있으며, 각 뱅크의 부등률은 1.1이고, 전부하 합성역률은 0.8이다. 중앙변전소 변압기 용량을 구하시오. (단, 변압기 용량은 표준규격으로 답한다.)

2) 변류기 CT_1과 CT_2의 변류비를 구하시오. (단, 1차 수전전압은 20,000/6,000[V], 2차 수전전압은 6,000/400[V]이며, 변류비는 1.25배로 한다.)

정답　1) 4,563.6[kVA]
　　　2) (1) 600/5 선정
　　　　 (2) 2,000/5 선정

1) $STr = \dfrac{(125 \times 0.8 + 125 \times 0.8 + 500 \times 0.6 + 600 \times 0.84)}{1.1 \times 0.8} \times 4 = 4,563.64 \, [kVA]$

2) (1) CT_1　$I_1 = \dfrac{5,000 \times 10^3}{\sqrt{3} \times 6 \times 10^3} \times 1.25 = 601.41 \, [A]$

　 따라서 600/5 선정

　 (2) CT_2

　　 $TR_A = \dfrac{(125 \times 0.8 + 125 \times 0.8 + 500 \times 0.6 + 600 \times 0.84)}{0.8} = 1,140.91 \, [kVA]$

　　 $I_1 = \dfrac{1,140.91 \times 10^3}{\sqrt{3} \times 400} \times 1.25 = 2,058.45 \, [A]$

　　 따라서 2,000/5 선정

11 다음 도면을 보고 물음에 답하시오.

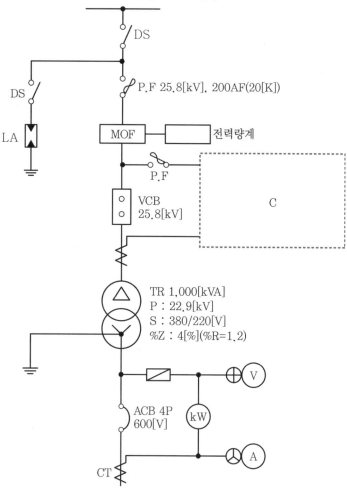

기준용량 : 100,000[kVA], %Z : 12[%]

DS

P.F 25.8[kV], 200AF(20[K])

DS

LA

MOF — 전력량계

P.F

VCB 25.8[kV]

C

TR 1,000[kVA]
P : 22.9[kV]
S : 380/220[V]
%Z : 4[%](%R=1.2)

V

ACB 4P 600[V]

kW

A

CT

1) LA의 명칭과 그 기능을 설명하시오.

2) VCB의 필요한 최소 차단용량[MVA]을 구하시오.

3) 도면 C 부분의 계통도에 그려져야 할 것들 중에서 그 종류를 5가지만 쓰시오.

4) ACB의 최소 차단전류[kA]를 구하시오.

5) 최대부하 800[kVA], 역률 80[%]인 경우 변압기의 전압변동률[%]을 구하시오.

정답 1) (1) 명칭 : 피뢰기 (2) 기능 : 이상전압 내습 시 즉시 방전하여 기기를 보호한다.

2) 833.33[MVA]

3) ① 계기용 변압기 ② 과전류계전기 ③ 지락과전류계전기 ④ 전압계 ⑤ 전류계

4) 36.88[kA]

5) (1) 0.96[%] (2) 3.05[%] (3) 2.6[%]

2) $P_s = \dfrac{100}{\%Z}P_n$

$\quad = \dfrac{100}{12} \times 100 = 833.33[\text{MVA}]$

4) 기준용량을 100[MVA]로 하여 변압기의 %Z를 환산하여 보면

$\quad \%Z_T = \dfrac{100,000}{1,000} \times 4 = 400[\%]$

합성 %Z $= 12 + 400 = 412[\%]$

단락전류 $I_s = \dfrac{100}{\%Z}I_n = \dfrac{100}{412} \times \dfrac{100 \times 10^6}{\sqrt{3} \times 380} \times 10^{-3} = 36.88[\text{kA}]$

5) (1) 최대부하 800[kVA]일 경우 % 저항강하를 구하면 $\%p = \dfrac{800}{1,000} \times 1.2 = 0.96[\%]$

(2) 최대부하 800[kVA]일 경우 % 리액턴스강하를 구하면 $q = \sqrt{4^2 - 1.2^2} \times \dfrac{800}{1,000} = 3.05[\%]$

(3) 전압변동률 $\epsilon = \%p\cos\theta + \%q\sin\theta$
$\quad\quad\quad\quad\quad = 0.96 \times 0.8 + 3.05 \times 0.6 = 2.6[\%]$

---

12 유효낙차 81[m], 출력 10,000[kW], 특유속도 164[rpm]인 수차의 회전속도는 약 몇 [rpm]인가?

정답 398.52[rpm]

특유속도 $N_s = N\dfrac{P^{\frac{1}{2}}}{H^{\frac{5}{4}}}$ 이 된다.

따라서 $N = N_s \times H^{\frac{5}{4}} \times \dfrac{1}{P^{\frac{1}{2}}}$

$\quad\quad = 164 \times 81^{\frac{5}{4}} \times \dfrac{1}{10,000^{\frac{1}{2}}} = 398.52[\text{rpm}]$

13 3상 3선식 계기용 변압기(2대) 및 변류기(2대)를 이용하여 미완성 결선도를 완성하시오. (단, 1, 2, 3은 상순을 표시하고, P1, P2, P3은 계기용 변압기, 1S, 1L, 3S, 3L은 변류기의 단자이다.)

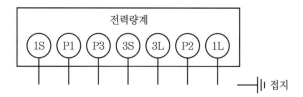

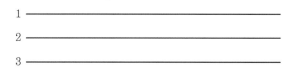

정답

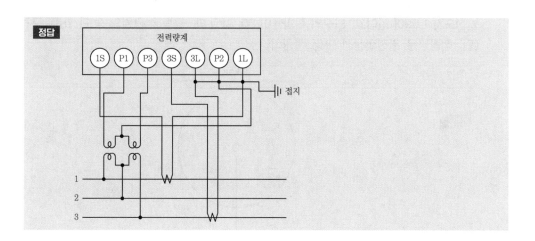

14 한국전기설비규정에 의하여 접지시스템의 구분 및 시설 종류를 빈칸에 알맞게 쓰시오.

1) 접지시스템은 (①), (②), (③)로 구분한다.

2) 접지시스템의 시설종류는 (④), (⑤), (⑥)이다.

정답 1) ① 계통접지 ② 보호접지 ③ 피뢰시스템 접지
2) ④ 단독접지 ⑤ 공통접지 ⑥ 통합접지

15 감리원은 해당 공사 완료 후 준공검사 전에 사전 시운전 등이 필요한 부분에 대하여는 공사 업자에게 시운전을 위한 계획을 수립하여 시운전 30일 이내에 제출하도록 하여야 하는데, 이때 발주자에게 제출하여야 할 서류를 〈보기〉에서 골라 모두 쓰시오.

보기		
1. 시운전 일정	2. 시험장비 확보	3. 공사계획문서 작성
4. 안전요원 선임계획	5. 기계·기구 사용계획	6. 지원업무보조자 지정

정답 1) 시운전 일정
2) 시험장비 확보
3) 기계·기구 사용계획

16 지름 12[cm]의 구형 외구가 있고, 해당 외구의 중심에 균등 점광원이 있다. 구형 외구의 광속 발산도가 1,000[lx]이고, 외구의 투과율이 80[%]일 때, 균등 점광원의 광도[cd]를 구하시오. (단, 점광원은 완전확산성 구형 광원이다.)

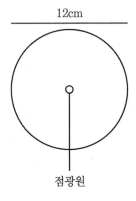

12cm

점광원

정답 4.5[cd]

광속발산도 $R = \dfrac{\tau I}{(1-\rho)\,r^2}$ 이므로

광도 $I = \dfrac{R \times (1-\rho)r^2}{\tau}$

$= \dfrac{1,000 \times (1-0) \times 0.06^2}{0.8} = 4.5[cd]$

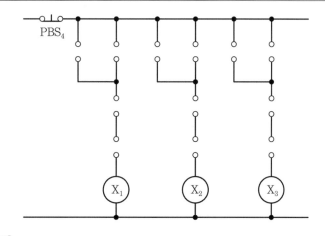

17 다음 조명 용어의 정의를 쓰시오.

1) 전등효율

2) 광원의 연색성

> **정답** 1) 전등 소비전력에 대한 광속의 비를 나타낸다.
> 2) 광원에 의해 물체가 비추어질 때, 그 물체의 색이 보임의 정도

18 주어진 조건을 이용하여 미완성 시퀀스 회로와 타임차트를 완성하시오.

┤ 조건 ├

- 푸시버튼 스위치 4개(PBS₁, PBS₂, PBS₃, PBS₄)
- 보조 릴레이 3개(X₁, X₂, X₃)
- 계전기의 보조 a접점 또는 보조 b접점을 추가 또는 삭제하여 작성하되 불필요한 접점을 사용하지 않도록 할 것이며, 보조 접점에는 접점의 명칭을 기입하도록 할 것

먼저 수신한 입력신호만을 동작시키고 그 다음 입력신호를 주어도 동작하지 않도록 회로를 구성하고 타임차트를 그리시오.

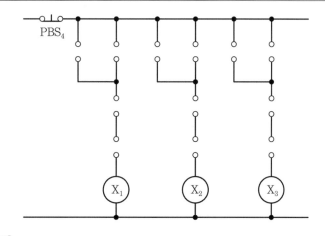

[타임차트]

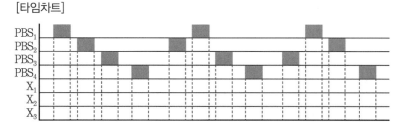

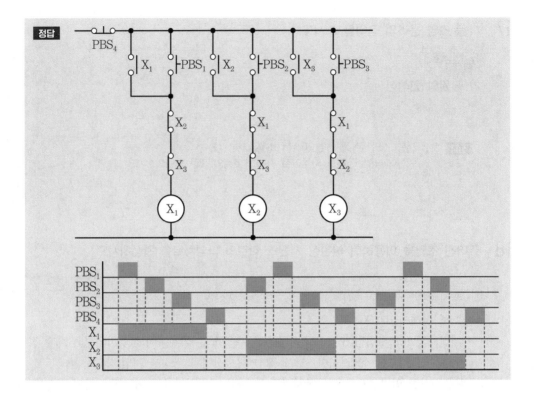

전기기사 실기 기출문제

01 그림과 같이 3상 4선식 배전선로에 역률 100[%]인 부하 a-n, b-n, c-n이 각 상과 중성선 간에 연결되어 있다. a, b, c상에 흐르는 전류가 220[A], 172[A], 190[A]일 때 중성선에 흐르는 전류를 계산하시오.

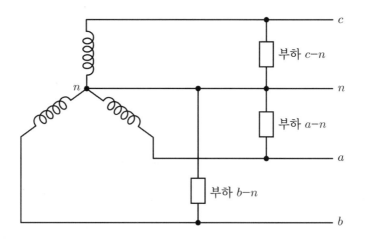

정답　41.99[A]

중성선에 흐르는 전류 I_N

$I_N = I_a \angle 0° + I_b \angle -120° + I_c \angle 120°$

$\quad = 220 \angle 0° + 172 \angle -120° + 190 \angle 120°$

$\quad = 39 + j15.58$

따라서 $I_N = \sqrt{39^2 + 15.58^2} = 41.99$[A]

02 아래 회로도의 a-b 사이에 저항을 연결하고자 한다. 각 물음에 답하시오. (단, 효율은 0.9이다.)

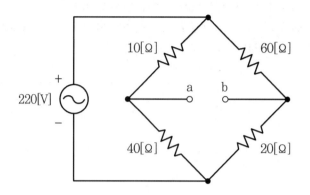

1) 최대전력을 전달하기 위한 a-b 사이 저항의 크기를 구하시오.

2) 10분간 전압을 가했을 때 a-b 사이에 삽입된 저항의 일량[kJ]을 구하시오.

정답   1) 23[Ω]   2) 85.91[kJ]

1) 테브난 등가저항을 구하면

   10[Ω]과 40[Ω]이 병렬연결이며, 60[Ω]과 20[Ω]이 병렬연결이므로

   등가저항 $R = \dfrac{10 \times 40}{10 + 40} + \dfrac{60 \times 20}{60 + 20} = 23[\Omega]$

   따라서 최대전력을 전달하는 a-b의 저항은 23[Ω]

2) 테브난 등가전압을 구하면 $V_a - V_b$가 되므로

   $V = (220 \times \dfrac{40}{10 + 40}) - (220 \times \dfrac{20}{60 + 20}) = 121[V]$

   전류를 구하면 $I = \dfrac{V}{R} = \dfrac{121}{23 + 23} = 2.63[A]$가 된다.

   일량 $W = Ptη$

          $= I^2 R \times t \times η$

          $= 2.63^2 \times 23 \times 10 \times 60 \times 0.9 \times 10^{-3} = 85.91[kJ]$

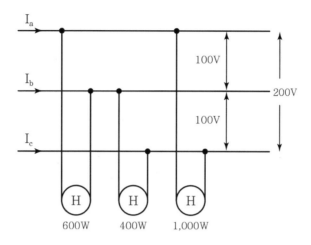

03 아래와 같은 단상 3선식 선로에 전열기 부하가 접속되어 있다. 각 선에 흐르는 전류의 크기를 구하시오.

정답 $I_a = 11[A]$, $I_b = -2[A]$, $I_c = -9[A]$

전류 방향에 유의하며,

먼저 $I_{ab} = \dfrac{600}{100} = 6[A]$, $I_{bc} = \dfrac{400}{100} = 4[A]$, $I_{ac} = \dfrac{1,000}{200} = 5[A]$가 된다.

따라서 $I_a = 6 + 5 = 11[A]$가 된다.

$I_b = 4 - 6 = -2[A]$가 된다.

$I_c = -4 - 5 = -9[A]$가 된다.

04 회전날개의 지름이 31[m]인 프로펠러형 풍차의 풍속이 16.5[m/s]일 때 풍력에너지[kW]를 구하시오. (단, 공기의 밀도는 1.225[kg/m³]이다.)

정답 2,076.69[kW]

풍력에너지 $P = \dfrac{1}{2}\rho A V^3$

$= \dfrac{1}{2} \times 1.225 \times \dfrac{\pi \times 31^2}{4} \times 16.5^3 \times 10^{-3} = 2,076.687[kW]$

05 평형 3상 회로에 변류비 100/5인 변류기 2개를 그림과 같이 접속하였을 때 전류계에 3[A]의
전류가 흘렀다. 1차 전류의 크기는 몇 [A]가 되는가?

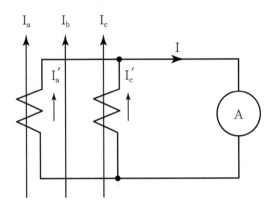

정답 60[A]

1차측에 흐르는 전류 $I_1 = I_2 \times CT$비

$$= 3 \times \frac{100}{5} = 60[A]$$

06 전압 33,000[V], 주파수 60[C/s], 1회선의 3상 지중 송전선로의 3상 무부하 충전전류 및
충전용량을 구하시오. (단, 송전선의 길이는 7[km]이며 케이블의 1선당 작용 정전용량은
0.4[μF/km]라고 한다.)

1) 충전전류

2) 충전용량

정답 1) 20.1[A]   2) 1,148.94[kVA]

1) 충전전류 $I_c = \omega CE$[A]

$$= 2\pi \times 60 \times 0.4 \times 10^{-6} \times 7 \times (\frac{33,000}{\sqrt{3}}) = 20.1[A]$$

2) 충전용량 $Q_c = 3\omega CE^2$

$$= 3 \times 2\pi \times 60 \times 0.4 \times 10^{-6} \times 7 \times (\frac{33,000}{\sqrt{3}})^2 \times 10^{-3}$$

$$= 1,148.94[kVA]$$

07 지중전선로의 매설방식을 3가지 쓰시오.

> **정답** 직접매설식, 관로식, 암거식

08 권수비가 30, 1차 전압 6.6[kV]인 3상 변압기가 있다. 다음 물음에 답하시오. (단, 변압기의 손실은 무시한다.)

1) 2차 전압[V]은 얼마인가?

2) 만약 2차측에 용량 50[kW]로서 역률 0.8 부하를 2차에 연결할 경우 2차 전류를 구하고 1차 전류를 구하시오.

   (1) 2차 전류 I_2

   (2) 1차 전류 I_1

3) 1차 입력은 몇 [kVA]인가?

> **정답** 1) 220[V] 2) (1) 164.02[A] (2) 5.47[A] 3) 62.53[kVA]
>
> 1) $a = \dfrac{V_1}{V_2}$
>
> $V_2 = \dfrac{V_1}{a} = \dfrac{6,600}{30} = 220[\text{V}]$
>
> 2) (1) 2차 전류 I_2
>
> $I_2 = \dfrac{P}{\sqrt{3}\, V_2 \cos\theta} = \dfrac{50 \times 10^3}{\sqrt{3} \times 220 \times 0.8} = 164.02[\text{A}]$
>
>   (2) 1차 전류 I_1
>
> $I_1 = \dfrac{I_2}{a} = \dfrac{164.02}{30} = 5.47[\text{A}]$
>
> 3) $P = \sqrt{3}\, V_1 I_1$
>
> $= \sqrt{3} \times 6,600 \times 5.47 \times 10^{-3} = 62.53[\text{kVA}]$

09 가스절연변전소(GIS)의 특징을 5가지만 쓰시오.

> 정답 1) 소형화할 수 있다.
> 2) 충전부가 완전히 밀폐되어 안정성이 높다.
> 3) 신뢰도가 높다.
> 4) 소음이 적고 공해문제를 해결할 수 있다.
> 5) 환경 조화를 기할 수 있다.

10 전력용 콘덴서의 자동조작방식의 제어요소에 대하여 4가지를 쓰시오.

> 정답 1) 역률에 의한 제어
> 2) 무효전력에 의한 제어
> 3) 프로그램 제어
> 4) 개폐신호에 의한 제어

11 수전전압은 22.9[kV]이며, 계약전력은 300[kW]이다. 3상 단락전류가 7,000[A]일 경우 차단용량[MVA]을 구하시오.

> 정답 312.81[MVA]
>
> 차단용량 $P_s = \sqrt{3}\, V_n I_s$
> $\qquad = \sqrt{3} \times 25.8 \times 10^3 \times 7 \times 10^3 \times 10^{-6} = 312.81[MVA]$

3) 부등률 = $\dfrac{\text{개별수용최대전력의 합}[kW]}{\text{합성최대전력}[kW]}$

$= \dfrac{(9+7+6) \times 10^3}{20 \times 10^3}$

$= 1.1$

4) 먼저 A, B, C 수용가의 유효전력과 무효전력을 구하여 보면
   (1) 유효전력
      ① A수용가 : 9,000[kW]
      ② B수용가 : 7,000[kW]
      ③ C수용가 : 4,000[kW]
   (2) 무효전력
      ① A수용가 : 0[kVar]

      ② B수용가 : $P \times \dfrac{\sin\theta}{\cos\theta} = 7,000 \times \dfrac{0.6}{0.8} = 5,250$[kVar]

      ③ C수용가 : $P \times \dfrac{\sin\theta}{\cos\theta} = 4,000 \times \dfrac{0.8}{0.6} = 5,333.33$[kVar]

   (3) 종합역률

   $\cos\theta = \dfrac{P}{P_a} = \dfrac{20,000}{\sqrt{(20,000)^2 + (5,250 + 5,333.33)^2}} \times 100[\%] = 88.39[\%]$

13 제3고조파를 감소시키기 위한 리액터의 용량은 콘덴서 용량의 몇 [%] 이상이어야만 하는가? (단, 주파수의 변동을 고려하여 수치에 2[%] 여유를 둔다.)

정답 13.11[%]

제3고조파를 제거하기 위한 리액터 용량

$3\omega L = \dfrac{1}{3\omega C}$ 이므로

$\omega L = \dfrac{1}{9} \times \dfrac{1}{\omega C}$ 이 된다.

따라서 $0.11X_c$가 되므로 이론상 용량은 11.11[%]이나 2[%] 여유를 둔다 하였으므로
$11.11 + 2 = 13.11[\%]$가 된다.

14 전력설비의 간선을 설계하고자 한다. 간선 설계 시 고려하여야 할 사항을 5가지 쓰시오.

> **정답** 1) 설계조건
> 2) 간선계통
> 3) 간선의 경로
> 4) 배선방식
> 5) 간선의 굵기

15 가공전선로에 사용하는 지지물의 강도계산에 적용하는 을종 풍압하중은 전선 기타 가섭선 주위에 부착되는 빙설의 두께와 비중은 얼마인가?

> **정답** 1) 두께 : 6[mm]
> 2) 비중 : 0.9

16 다음 그림의 ③의 F점에서 3상 단락이 발생하였다. 이때 모선 ① - ②간, 모선 ② - ③간, 모선 ③ - ①간의 고장전력[MVA]과 고장전류를 구하시오. (단, 그림에서 표시된 수치는 154[kV], 100[MVA] 기준의 %임피던스이다. ① 모선 좌측은 전원측 %Z이며 40[%], ② 모선의 우측 %Z는 전원측 %Z이며 4[%]이다.)

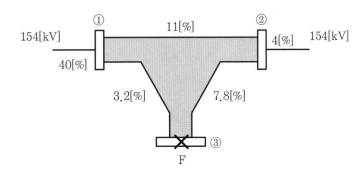

1) 3-1간의 고장전류를 구하시오.

2) 3-2간의 고장전류를 구하시오.

3) 1-2간의 고장전류를 구하시오.

4) 1-3간의 고장전류를 구하시오.

5) 2-3간의 고장전류를 구하시오.

6) 1-2간의 고장전력을 구하시오.

7) 1-3간의 고장전력을 구하시오.

8) 2-3간의 고장전력을 구하시오.

정답 1) $770.05[\mathrm{A}]$ 2) $4,054.95[\mathrm{A}]$ 3) $-1,326.1[\mathrm{A}]$ 4) $2,097.35[\mathrm{A}]$
5) $2,729.13[\mathrm{A}]$ 6) $137.62[\mathrm{MVA}]$ 7) $100.03[\mathrm{MVA}]$ 8) $413.32[\mathrm{MVA}]$

1) 먼저 $\triangle$결선된 상태의 %임피던스를 Y로 변환하면

$$\%Z_1 = \frac{3.2 \times 11}{3.2 + 7.8 + 11} = 1.6[\%]$$

$$\%Z_2 = \frac{7.8 \times 11}{3.2 + 7.8 + 11} = 3.9[\%]$$

$$\%Z_3 = \frac{3.2 \times 7.8}{3.2 + 7.8 + 11} = 1.1345[\%],$$ 이를 이용하여 고장점을 기준하여 합성 %임피던스를 구하면

$$\%Z_0 = \%Z_3 + \frac{(40 + \%Z_1) \times (4 + \%Z_2)}{(40 + \%Z_1) + (4 + \%Z_2)}$$

$$= 1.1345 + \frac{(40 + 1.6) \times (4 + 3.9)}{(40 + 1.6) + (4 + 3.9)} = 7.77[\%]$$가 된다.

고장점 F점을 기준으로 한 단락전류를 구하면

$$I_s = \frac{100}{\%Z_0} I_n$$

$$= \frac{100}{7.77} \times \frac{100 \times 10^6}{\sqrt{3} \times 154 \times 10^3} = 4,825[\mathrm{A}]$$

전류 분배법칙을 이용하여

$$I_1 = \frac{(4 + \%Z_2)}{(40 + \%Z_1) + (4 + \%Z_2)} I_s$$

$$= \frac{(4 + 3.9)}{(40 + 1.6) + (4 + 3.9)} \times 4,825 = 770.05[\mathrm{A}]$$

2) $I_2 = I_s - I_1$으로 표현이 가능하므로 $4,825 - 770.05 = 4,054.95[\mathrm{A}]$

3) 먼저 V_1을 구하면 $Z_1 I_1 + Z_3 I_3$가 된다.

$$\%Z = \frac{PZ}{10V^2}$$ 이므로 $$Z_1 = \frac{\%Z_1 \times 10V^2}{P} = \frac{1.6 \times 10 \times 154^2}{100 \times 10^3} = 3.79[\Omega]$$

$$Z_2 = \frac{\%Z_2 \times 10 V^2}{P} = \frac{3.9 \times 10 \times 154^2}{100 \times 10^3} = 9.249\,[\Omega]$$

$$Z_3 = \frac{\%Z_3 \times 10 V^2}{P} = \frac{1.1345 \times 10 \times 154^2}{100 \times 10^3} = 2.69\,[\Omega]$$

$$V_1 = (3.79 \times 770.05) + (2.69 \times 4,825) = 15,897.73\,[\text{V}]$$

$$V_2 = Z_2 I_2 + Z_3 I_3$$
$$= (9.249 \times 4,054.95) + (2.69 \times 4,825) = 50,483.48\,[\text{V}]$$

$$I_{12} = \frac{V_1 - V_2}{\dfrac{\%Z \times 10 V^2}{P}} = \frac{15,897.73 - 50,483.48}{\dfrac{11 \times 10 \times 154^2}{100 \times 10^3}} = -1,326.1\,[\text{A}]$$

4) $I_{13} = \dfrac{15,897.73}{\dfrac{\%Z \times 10 V^2}{P}} = \dfrac{15,897.73}{\dfrac{3.2 \times 10 \times 154^2}{100 \times 10^3}} = 2,097.35\,[\text{A}]$

5) $I_{23} = \dfrac{50,483.48}{\dfrac{\%Z \times 10 V^2}{P}} = \dfrac{50,483.48}{\dfrac{7.8 \times 10 \times 154^2}{100 \times 10^3}} = 2,729.13\,[\text{A}]$

6) $P_{12} = 3I_{12}^2 \times Z_{12}$

$$= 3 \times (-1,326.1)^2 \times \frac{11 \times 10 \times 154^2}{100 \times 10^3} \times 10^{-6} = 137.62\,[\text{MVA}]$$

7) $P_{13} = 3I_{13}^2 \times Z_{13}$

$$= 3 \times 2,097.35^2 \times \frac{3.2 \times 10 \times 154^2}{100 \times 10^3} \times 10^{-6} = 100.03\,[\text{MVA}]$$

8) $P_{23} = 3I_{23}^2 \times Z_{23}$

$$= 3 \times 2,729.13^2 \times \frac{7.8 \times 10 \times 154^2}{100 \times 10^3} \times 10^{-6} = 413.32\,[\text{MVA}]$$

17 다음은 어느 계전기 회로의 논리식이다. 이 논리식을 이용하여 다음 각 물음에 답하시오. (단, A, B, C는 입력이고, X는 출력이다.)

$$X = (A + B) \cdot \overline{C}$$

1) 이 논리식을 로직을 이용한 시퀀스도(논리회로)로 나타내시오.

2) 물음 1)에서 로직 시퀀스로도 표현된 것을 2입력 NAND gate만으로 등가변환하시오.

3) 물음 2)에서 로직 시퀀스로도 표현된 것을 2입력 NOR gate만으로 등가변환하시오.

정답

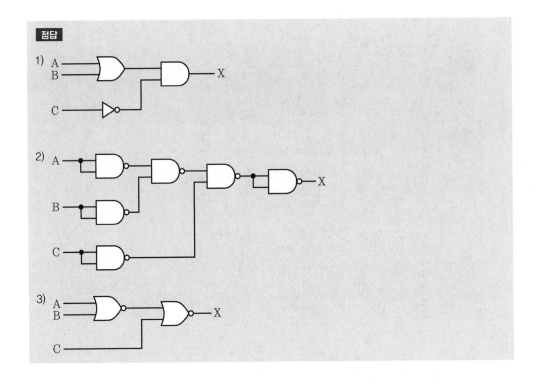

18 다음 주어진 조건과 같은 동작이 되도록 제어회로의 배선과 감시반 회로의 배선 단자를 상호 연결하시오.

> ┤ 조건 ├
>
> • 배선용차단기(MCCB)를 투입(ON)하면 GL1과 GL2가 점등된다.
> • 선택스위치(SS)를 "L"의 위치에 놓고 PB2를 누른 후 놓으면 전자접촉기(MC)에 의하여 전동기가 운전되고, RL1과 RL2는 점등, GL1과 GL2는 소등된다.
> • 전동기 운전 중 PB1을 누르면 전동기는 정지하고, RL1과 RL2는 소등, GL1과 GL2는 점등된다.
> • 선택스위치(SS)를 "R"위치에 놓고 PB3를 누른 후 놓으면 전자접촉기(MC)에 의하여 전동기가 운전되고, RL1과 RL2는 점등, GL1과 GL2는 소등된다.
> • 전동기 운전 중 PB4를 누르면 전동기는 정지하고, RL1과 RL2는 소등되고 GL1과 GL2가 점등된다.
> • 전동기 운전 중 과부하에 의하여 EOCR이 작동되면 전동기는 정지하고 모든 램프는 소등되며, EOCR을 RESET하면 초기상태로 된다.

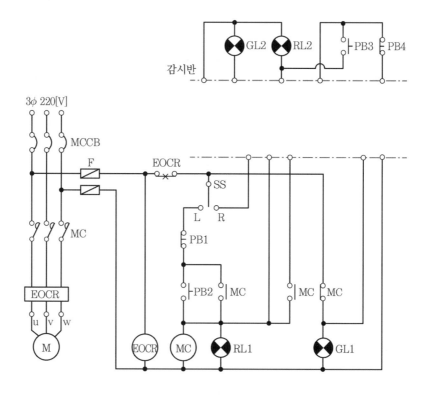

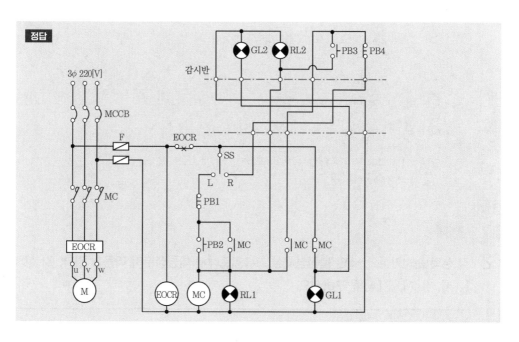

01 3상 평형부하 Z가 그림과 같이 접속되어 있을 때, 전압계의 지시값이 220[V]이었다. 전류계의 지시값이 20[A]이며, 전력계의 지시값이 2[kW]라고 한다. 다음 각 물음에 답하시오.

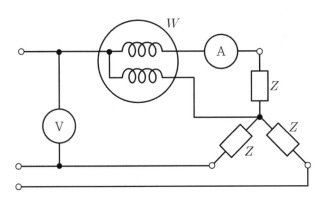

1) 부하 Z의 소비전력[kW]을 구하시오.

2) 부하의 임피던스 Z[Ω]을 복소수로 나타내시오.

정답   1) 6[kW]   2) $5+j3.915$[Ω]

1) 1상의 전력이 2[kW]이었으므로 3상은 6[kW]가 된다.

2) $Z = \dfrac{E}{I} = \dfrac{\frac{220}{\sqrt{3}}}{20} = 6.35$ [Ω]

회로의 역률을 구하면

$\cos\theta = \dfrac{P}{P_a} = \dfrac{6 \times 10^3}{\sqrt{3} \times 220 \times 20} = 0.7873$

따라서 $Z = 6.35 \times (0.7873 + j\sqrt{1-0.7873^2})$
$\qquad = 5 + j3.915$ [Ω]

---

02 각 상의 순서가 a-b-c인 불평형 3상 교류회로에서 대칭성분이 다음과 같다. 각 상의 전류 I_a[A], I_b[A], I_c[A]를 구하시오.

영상분	$1.8\angle-159.17°$
정상분	$8.95\angle1.14°$
역상분	$2.51\angle96.55°$

1) I_a

2) I_b

3) I_c

정답 1) $7.27 \angle 16.23°$ 2) $12.797 \angle -128.799°$ 3) $7.23 \angle 123.65°$

1) $I_a = I_0 + I_1 + I_2$
$= 1.8 \angle -159.17° + 8.95 \angle 1.14° + 2.51 \angle 96.55°$
$= 7.27 \angle 16.23°$

2) $I_b = I_0 + a^2 I_1 + a I_2$
$= 1.8 \angle -159.17° + (1 \angle -120°) \times 8.95 \angle 1.14° + (1 \angle 120°) \times 2.51 \angle 96.55°$
$= 12.797 \angle -128.799°$

3) $I_c = I_0 + a I_1 + a^2 I_2$
$= 1.8 \angle -159.17° + (1 \angle 120°) \times 8.95 \angle 1.14° + (1 \angle -120°) \times 2.51 \angle 96.55°$
$= 7.23 \angle 123.65°$

03 380[V], 4극 3상 유도전동기 37[kW]의 분기회로 긍장이 50[m]일 때 전압강하를 5[V] 이하로 하는데 필요한 전선 굵기[mm²]를 선정하시오. (단, 전동기의 전부하 전류 75[A], 3상 3선 회로이다.)

정답 25[mm²] 선정

3상 3선식 전선의 굵기 A

$A = \dfrac{30.8 LI}{1,000 e} = \dfrac{30.8 \times 50 \times 75}{1,000 \times 5} = 23.1 [\text{mm}^2]$

따라서 25[mm²] 선정

04 다음은 A, B 수용가에 대한 사항이다. 다음 각 물음에 답하시오.

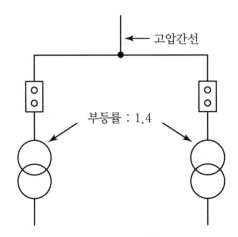

조건	A	B
설비용량[kW]	50	30
역률	1	1
수용률	0.6	0.5
부등률	1.2	1.2

1) A수용가의 변압기 용량[kVA]을 구하시오.

2) B수용가의 변압기 용량[kVA]을 구하시오.

3) 간선에 걸리는 최대부하[kW]를 구하시오.

정답 1) 25[kVA]
　　　2) 12.5[kVA]
　　　3) 26.78[kW]

1) $T_A = \dfrac{\text{설비용량} \times \text{수용률}}{\text{부등률} \times \cos\theta} = \dfrac{50 \times 0.6}{1.2 \times 1} = 25[\text{kVA}]$

2) $T_B = \dfrac{\text{설비용량} \times \text{수용률}}{\text{부등률} \times \cos\theta} = \dfrac{30 \times 0.5}{1.2 \times 1} = 12.5[\text{kVA}]$

3) 최대부하 $= \dfrac{25 + 12.5}{1.4} = 26.78[\text{kW}]$

05 전동기 부하를 사용하는 곳의 역률 개선을 위하여 회로에 병렬로 역률 개선용 저압 콘덴서를 설치하여 전동기의 역률을 90[%] 이상으로 유지하려고 한다. 다음 각 물음에 답하시오.

1) 정격전압 380[V], 정격출력 7.5[kW], 역률 80[%]인 전동기의 역률을 90[%]로 개선하고자 하는 경우 필요한 3상 콘덴서 용량을 구하시오.

2) 물음 "1)"에서 구한 콘덴서 용량 [kVA]에 따른 한 상당의 정전용량은 몇 [μF]인지 계산하시오. (단, 콘덴서는 $\triangle$결선한다고 한다.)

정답 1) 1.99[kVA] 2) 12.19[μF]

1) 콘덴서 용량 $Q_c = P(\dfrac{\sqrt{1-\cos^2\theta_1}}{\cos\theta_1} - \dfrac{\sqrt{1-\cos^2\theta}}{\cos\theta_2})$

$= 7.5 \times (\dfrac{\sqrt{1-0.8^2}}{0.8} - \dfrac{\sqrt{1-0.9^2}}{0.9}) = 1.99[kVA]$

2) 콘덴서 용량 $Q_c = 3\omega CE^2$

따라서 $C = \dfrac{Q_c}{3\omega CE^2} = \dfrac{Q_c}{3\omega CV^2}$ 이므로

$= \dfrac{1.99 \times 10^3}{3 \times 2\pi \times 60 \times 380^2} \times 10^6 = 12.19[\mu F]$

06 3,150/210[V]인 변압기의 용량이 각각 250[kVA], 200[kVA]이고, %임피던스 강하가 각각 2.7[%], 3[%]이다. 두 변압기를 병렬운전하고자 할 때 병렬 합성용량[kVA]을 구하시오.

정답 430[kVA]

부하분담비를 구하면

$\dfrac{P_a}{P_b} = \dfrac{P_A}{P_B} \times \dfrac{\%Z_B}{\%Z_A}$

$= \dfrac{250}{200} \times \dfrac{3}{2.7} = \dfrac{25}{18}$

$P_b = P_a \times \dfrac{18}{25} = 180[kVA]$

따라서 합성용량은 $250 + 180 = 430[kVA]$

07 그림과 같은 송전계통 S점에서 3상 단락사고가 발생하였다. 주어진 도면과 조건을 참고하여 다음 각 물음에 답하시오.

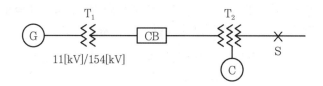

11[kV]/154[kV]

번호	기기명	용량	전압	%X
1	발전기(G)	50,000[kVA]	11[kV]	25
2	변압기(T$_1$)	50,000[kVA]	11/154[kV]	10
3	송전선		154[kV]	8(10,000[kVA] 기준)
4	변압기(T$_2$)	1차 25,000[kVA]	154[kV]	12(25,000[kVA] 기준, 1차~2차)
		2차 30,000[kVA]	77[kV]	16(25,000[kVA] 기준, 2차~3차)
		3차 10,000[kVA]	11[kV]	9.5(10,000[kVA] 기준, 3차~1차)
5	조상기(C)	10,000[kVA]	11[kV]	15

1) 변압기(T$_2$)의 각각의 %리액턴스를 기준용량 10[MVA]로 환산하시오.

2) 변압기(T$_2$)의 1차(P), 2차(T), 3차(S)의 %리액턴스를 구하시오.

3) 발전기에서 고장점까지 10[MVA]기준, 합성 %리액턴스를 구하시오.

4) 고장점의 단락용량은 몇 [MVA]인지 구하시오.

5) 고장점의 단락전류는 몇 [A]인지 구하시오.

정답 1) (1) 4.8[%] (2) 6.4[%] (3) 9.5[%]
2) (1) 1차 3.95[%]
   (2) 2차 0.85[%]
   (3) 3차 5.55[%]
3) (1) 발전기 %X$_G$ 5[%]
   (2) 변압기 %T$_1$ 2[%]
   (3) 송전선 %X$_\ell$ 8[%]
   (4) 조상기 %X$_C$ 150[%]
   (5) 18.95[%]
   (6) 20.55[%]

4) 93.37[MVA]

5) 10.71[%]

1) (1) 먼저 1−2차간의 %리액턴스를 기준용량 10[MVA]로 환산하면

$$\%X_{P-T} = \frac{10}{25} \times 12 = 4.8[\%]$$

(2) 2−3차간의 %리액턴스를 기준용량 10[MVA]로 환산하면

$$\%X_{T-S} = \frac{10}{25} \times 16 = 6.4[\%]$$

(3) 3−1차간의 %리액턴스를 기준용량 10[MVA]로 환산하면

$$\%X_{S-P} = \frac{10}{10} \times 9.5 = 9.5[\%]$$

2) (1) 1차 $\%X_P = \dfrac{4.8 + 9.5 - 6.4}{2} = 3.95[\%]$

(2) 2차 $\%X_T = \dfrac{4.8 + 6.4 - 9.5}{2} = 0.85[\%]$

(3) 3차 $\%X_S = \dfrac{9.5 + 6.4 - 4.8}{2} = 5.55[\%]$

3) 먼저 각 %리액턴스를 10[MVA]기준으로 환산하면

(1) 발전기 $\%X_G = \dfrac{10}{50} \times 25 = 5[\%]$

(2) 변압기 $\%T_1 = \dfrac{10}{50} \times 10 = 2[\%]$

(3) 송전선 $\%X_\ell = \dfrac{10}{10} \times 8 = 8[\%]$

(4) 조상기 $\%X_C = \dfrac{10}{10} \times 15 = 150[\%]$

(5) 발전기에서 T_2변압기의 1차까지 %리액턴스를 구하면
$$\%X_{01} = 5 + 2 + 8 + 3.95 = 18.95[\%]$$

(6) 조상기에서 T_2변압기의 3차까지 %리액턴스를 구하면
$$\%X_{02} = 15 + 5.55 = 20.55[\%]$$

(7) 따라서 합성 $\%\ X = \dfrac{\%X_{01} \times \%X_{02}}{\%X_{01} + \%X_{02}} + X_T$가 되므로

$$= \frac{18.95 \times 20.55}{18.95 + 20.55} + 0.85 = 10.71[\%]$$가 된다.

4) $P_s = \dfrac{100}{\%Z} P_n$

$$= \frac{100}{10.71} \times 10 = 93.37[MVA]$$

5) 단락전류 $I_s = \dfrac{100}{\%Z} I_n$

$$= \frac{100}{10.71} \times \frac{10 \times 10^6}{\sqrt{3} \times 77 \times 10^3} = 700.1[A]$$

08 변류비가 30/5[A]인 CT 2개를 그림과 같이 접속하였을 때 전류계에 2[A]가 흘렀다고 한다. CT 1차측에 흐르는 전류는 몇 [A]인가?

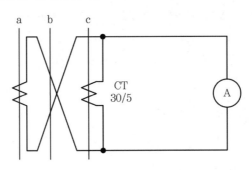

정답 6.93[A]

차동결선으로서

$$I_1 = I_2 \times CT비 \times \frac{1}{\sqrt{3}}$$
$$= 2 \times \frac{30}{5} \times \frac{1}{\sqrt{3}} = 6.93[A]$$

09 다음 표는 한국전기설비규정에 의거하여 저압전로에 사용하는 주택용 배선차단기의 과전류 트립동작시간 및 순시트립에 따른 구분을 나타낸 것이다. 표를 완성하시오.

정격전류의 구분	시간	정격전류의 배수	
		주택용	
		부동작전류	동작전류
63[A] 이하	60분	(①)	(②)
63[A] 초과	120분	(①)	(②)

차단기 유형	순시트립 범위
(③)	$3I_n$ 초과 ~ $5I_n$ 이하
(④)	$5I_n$ 초과 ~ $10I_n$ 이하
(⑤)	$10I_n$ 초과 ~ $20I_n$ 이하

* B, C, D : 순시트립전류에 따른 차단기 분류

정답 ① 1.13 ② 1.45 ③ B ④ C ⑤ D

10 다음은 저항 R= 20[Ω], 전압 $V = 220\sqrt{2}\sin(120\pi t)$[V]이고, 변압비는 1 : 1일 때, 단상 전파 정류 브리지 회로를 나타낸 것이다. 다음 각 물음에 답하시오. (단, 직류측에 평활회로는 포함하지 않는다.)

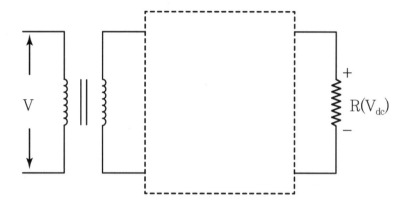

1) 점선 안에 브리지 회로를 완성하시오.

2) V_{dc}의 평균전압[V]을 구하시오.

3) V_{dc}에 흐르는 평균 전류[A]를 구하시오.

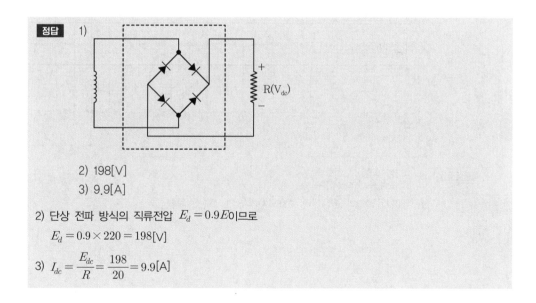

정답 1)

2) 198[V]
3) 9.9[A]

2) 단상 전파 방식의 직류전압 $E_d = 0.9E$이므로

$E_d = 0.9 \times 220 = 198$[V]

3) $I_{dc} = \dfrac{E_{dc}}{R} = \dfrac{198}{20} = 9.9$[A]

11 다음 그림은 TN계통의 TN-S방식의 저압 배전선로의 접지계통이다. 결선도를 완성하시오.

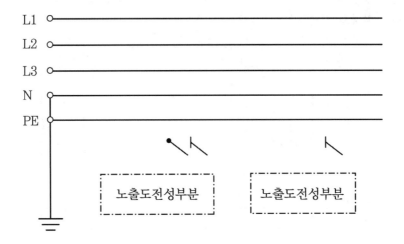

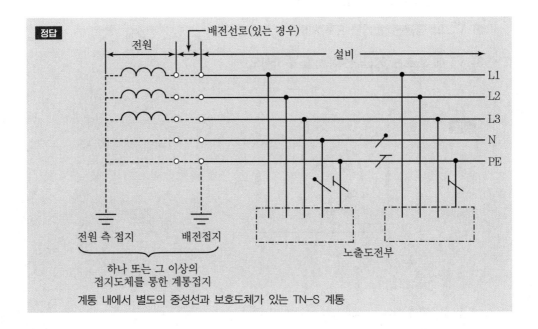

12 설비용량이 10[kW]인 A, B수용가가 있다. 다음 각 물음에 답하시오.

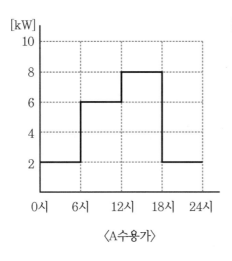
〈A수용가〉

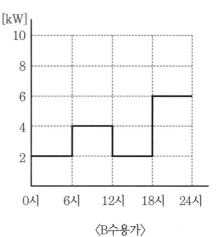
〈B수용가〉

1) A, B수용가의 수용률[%]을 구하시오.

2) A, B수용가의 부하율[%]을 구하시오.

3) 부등률을 구하시오.

정답   1) (1) 80[%] (2) 60[%]   2) (1) 56.25[%] (2) 58.33[%]   3) 1.4

1) (1) A수용가

$$수용률 = \frac{최대전력}{설비용량} \times 100[\%]$$

$$= \frac{8}{10} \times 100 = 80[\%]$$

(2) B수용가

$$수용률 = \frac{최대전력}{설비용량} \times 100[\%]$$

$$= \frac{6}{10} \times 100 = 60[\%]$$

2) (1) A수용가

$$부하율 = \frac{평균전력}{최대전력} \times 100[\%]$$

$$= \frac{\dfrac{2 \times 6 + 6 \times 6 + 8 \times 6 + 2 \times 6}{24}}{8} \times 100 = 56.25[\%]$$

(2) B수용가

$$부하율 = \frac{평균전력}{최대전력} \times 100[\%]$$

$$= \frac{\dfrac{2 \times 6 + 4 \times 6 + 2 \times 6 + 6 \times 6}{24}}{6} \times 100 = 58.33[\%]$$

3) 부등률 $= \dfrac{개별수용최대전력의\ 합}{합성최대전력}$

$$= \frac{8+6}{10} = 1.4$$

13 한국전기설비규정에 의거하여 피뢰기 설치장소가 다음과 같다. 괄호 안에 알맞은 말을 쓰시오.

1. (①) 및 (②)

2. (③)과 직접 접속하는 (④)에서 낙뢰에 의해 (⑤)의 우려가 있는 케이블 단말

> **정답**　① 변전소 인입측
> ② 급전선 인출측
> ③ 가공전선
> ④ 지중케이블
> ⑤ 절연파괴

14 고압측 1선 지락사고 시 지락전류가 100[A]라고 할 때 이 전로에 접속된 주상변압기 380[V] 측 그 1단자에 접지공사 접지 저항값을 얼마 이하로 유지하여야 하는가? (단, 이 전선로는 고저압 혼촉 시 1초 초과 2초 이내에 자동차단하는 장치가 있다.)

> **정답**　3[Ω]
>
> 접지저항 $R = \dfrac{150,300,600}{1선지락전류}[\Omega]$
> 2초 이내에 자동차단하는 장치가 있으므로
> $R = \dfrac{300}{100} = 3[\Omega]$

15 다음은 전기안전관리자의 직무에 관한 고시 제6조에 대한 사항이다. 빈칸에 알맞은 말을 쓰시오.

1) 전기안전관리자는 제3조 제2항에 따라 수립한 점검을 실시하며, 다음 각 호의 내용을 기록하여야 한다. 다만, 전기안전관리자와 점검자가 같을 경우 별지 서식(제2호 ~ 제8호)의 서명을 생략할 수 있다.

2) 전기안전관리자는 제1항에 따라 기록한 선류(전자문서를 포함한다)를 전기설비 설치장소 또는 사업장마다 갖추어 두고, 그 기록서류를 (①)년간 보존하여야 한다.

3) 전기안전관리자는 법 제11조에 따른 정기검사 시 제1항에 따라 기록한 서류(전자문서를 포함한다)를 제출하여야 한다. 다만, 법 제38조에 따른 전기안전종합정보시스템에 매월 (②)회 이상 안전관리를 이한 확인·점검결과 등을 입력한 경우에는 제출하지 아니할 수 있다.

> **정답** 1) (1) 점검자 (2) 점검 연월일, 설비명(상호) 및 설비용량 (3) 점검 실시 내용(점검항목별 기준치, 측정치 및 그 밖에 점검 활동 내용 등) (4) 점검의 결과 (5) 그 밖에 전기설비 안전관리에 관한 의견
> 2) ~ 3) ① 4 ② 1

16 그림과 같은 점광원으로부터 원뿔 밑면까지의 거리가 4[m]이고, 밑면의 반지름이 3[m]인 원형면의 평균조도가 100[lx]라면 이 점광원의 평균광도[cd]는?

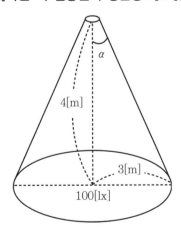

대 정용걸의 전기(산업)기사 실기

정답 2,250[cd]

조도 $E = \dfrac{F}{S} = \dfrac{\omega I}{\pi r^2} = \dfrac{2\pi(1-\cos\theta)I}{\pi r^2}$

$\cos\theta = \dfrac{h}{\sqrt{r^2 + h^2}} = \dfrac{4}{\sqrt{3^2 + 4^2}} = 0.8$

$I = \dfrac{E \cdot \pi r^2}{2\pi(1-\cos\theta)}$

$= \dfrac{100 \times \pi \times 3^2}{2\pi(1-0.8)}$

$= 2,250[cd]$

17 입력 A, B, C에 대한 출력 Y1, Y2를 다음의 진리표와 같이 동작시키고자 할 때, 다음 각 물음에 답하시오.

A	B	C	Y1	Y2
0	0	0	1	1
0	0	1	0	0
0	1	0	0	1
0	1	1	0	1
1	0	0	1	1
1	0	1	0	0
1	1	0	1	1
1	1	1	0	1

접속점 표기 방식	
접속	비접속

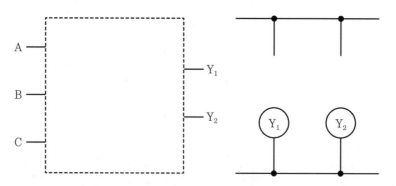

1) 출력 Y_1, Y_2에 대한 논리식을 간략화하시오. (단, 간략화된 논리식은 최소한 논리게이트 와 접점사용을 고려한 논리식을 말한다.)

2) "1)"에서 구한 논리식을 무접점 회로로 나타내시오.

3) "1)"에서 구한 논리식을 유접점 회로로 나타내시오.

정답 1) $Y_1 = \overline{A}\,\overline{B}\,\overline{C} + A\overline{B}\,\overline{C} + AB\overline{C}$

$\qquad = \overline{A}\,\overline{B}\,\overline{C} + A\overline{B}\,\overline{C} + AB\overline{C} + A\overline{B}\,\overline{C}$

$\qquad = \overline{B}\,\overline{C}(\overline{A} + A) + A\overline{C}\,(B + \overline{B})$

$\qquad = \overline{B}\,\overline{C} + A\overline{C}$

$\qquad = \overline{C}(A + \overline{B})$

$\quad \overline{Y_2} = \overline{A}\,\overline{B}\,C + A\overline{B}\,C$

$\qquad = \overline{B}\,C(\overline{A} + A)$

$\qquad = \overline{B}\,C$

$\quad \overline{\overline{Y_2}} = \overline{\overline{B}\,C}$

$\quad Y_2 = B + \overline{C}$

2)

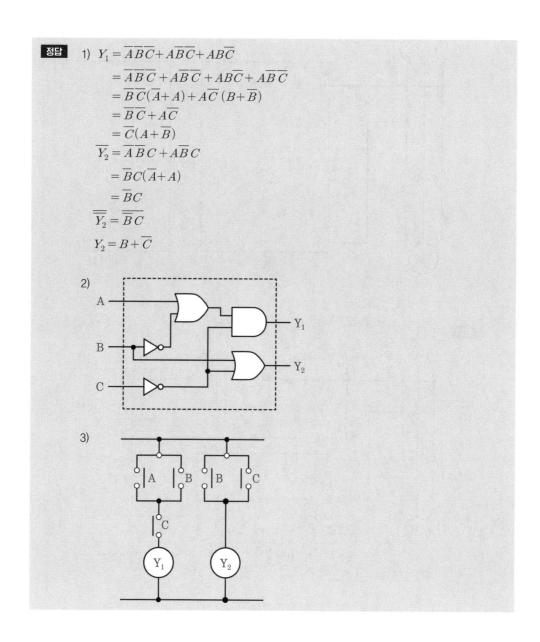

3)

18 유도전동기(IM)를 유도전동기가 있는 현장과 현장에서 조금 떨어진 제어실의 어느 쪽에서든
지 기동 및 정지가 가능하도록 전자접촉기(MC)와 누름버튼 스위치 PBS-ON용 및
PBS-OFF용을 이용하여 제어회로를 그리시오.

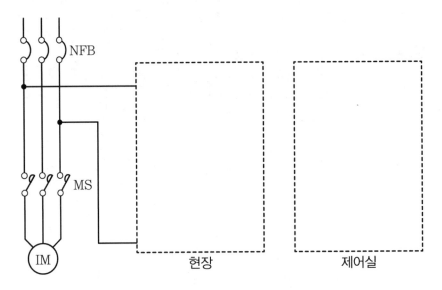

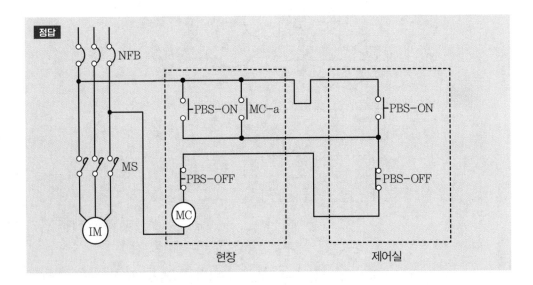

01 아래 부하집계표에 의한 변압기 용량을 구하시오.

구분	설비용량[kW]	수용률[%]	부등률	역률[%]
전등설비	60	80	–	95
전열설비	40	50	–	90
동력설비	70	40	1.4	90

단, 변압기 정격은 50, 75, 100, 150, 200, 300[kVA]라 한다.

> **정답** 100[kVA]
>
> 1) 유효전력 $P_0 = (60 \times 0.8) + (40 \times 0.5) + (\dfrac{70 \times 0.4}{1.4}) = 88[kW]$
>
> 2) 무효전력 $Q_0 = (48 \times \dfrac{\sqrt{1-0.95^2}}{0.95}) + (20 \times \dfrac{\sqrt{1-0.9^2}}{0.9}) + (20 \times \dfrac{\sqrt{1-0.9^2}}{0.9}) = 35.15[kVar]$
>
> 3) 변압기 용량 $P_a = \sqrt{88^2 + 35.15^2} = 94.76[kVA]$
>
> ∴ 100[kVA] 선정

02 어떤 공장의 어느 날 부하실적이 1일 사용전력량 192[kWh]이며, 1일 최대전력이 12[kW]이고, 최대전력일 때의 전류값이 3[A]이었을 경우 다음 각 물음에 답하시오. (단, 이 공장은 220[V], 11[kW]인 3상 유도전동기를 부하설비로 사용한다고 한다.

1) 일 부하율은 몇 [%]인가?

2) 최대공급전력일 때의 역률은 몇 [%]인가?

> **정답** 1) 66.67[%]   2) 92.62[%]
>
> 1) 부하율 $= \dfrac{\dfrac{사용전력량[kWh]}{시간[h]}}{최대전력[kW]} \times 100[\%]$
>
> $= \dfrac{\dfrac{192}{24}}{12} \times 100[\%] = 66.67[\%]$
>
> 2) $\cos\theta = \dfrac{P}{P_a} \times 100[\%]$
>
> $= \dfrac{12 \times 10^3}{\sqrt{3} \times 220 \times 34} \times 100[\%] = 92.62[\%]$

03 한국전기설비규정에서 정한 아래 그림 같이 분기회로 (S_2)의 보호장치 (P_2)는 (P_2)의 전원
   측에서 분기점(O) 사이에 다른 분기회로 또는 콘센트의 접속이 없고, 단락의 위험과 화재
   및 인체에 대한 위험성이 최소화되도록 시설된 경우, 분기회로의 보호장치 (P_2)는 몇 [m]까
   지 이동 설치가 가능한가?

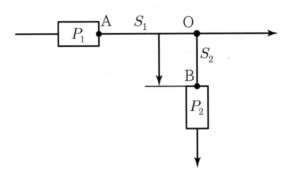

정답 3[m]

04 연료전지발전의 특징을 3가지만 쓰시오.

정답
1) 화석연료에 비해 친환경적 발전설비이다.
2) 수소를 대량생산하는 것에 제한이 있다.
3) 소음이 매우 적고, 진동이 거의 없다.

05 소선의 직경이 3.2[mm]인 37가닥의 연선을 사용할 경우 외경은 몇 [mm]인가?

정답 22.4[mm]
연선의 직경 $D = (1+2n)d$
$\qquad = (1+2\times3)\times3.2 = 22.4[mm]$

06 다음은 차단기 트립방식에 대한 설명이다. 내용을 보고 어떤 트립방식인지를 쓰시오.

1) 고장 시 변류기 2차 전류에 의해 트립되는 방식을 말한다.

2) 고장 시 콘덴서 충전전하에 의해 트립되는 방식을 말한다.

3) 고장 시 전압의 저하에 의해 트립되는 방식을 말한다.

> **정답** 1) 과전류 트립방식
> 2) 콘덴서 트립방식
> 3) 부족전압 트립방식

07 그림은 최대 사용전압 6,900[V]인 변압기의 절연내력시험을 위한 회로도이다. 그림을 보고 다음 각 물음에 답하시오.

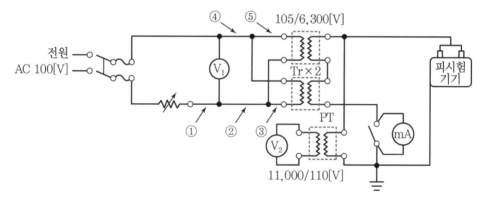

1) 전원측 회로에 전류계 Ⓐ 설치하고자 할 때 ①～⑤번 중 어느 곳이 적당한가?

2) 시험 시 전압계 ⓥ₁로 측정되는 전압은 몇 [V]인가? (단, 소수점 이하는 반올림할 것)

3) 시험 시 전압계 ⓥ₂로 측정되는 전압은 몇 [V]인가?

4) PT의 설치 목적은 무엇인가?

5) 전류계[mA]의 설치 목적은 어떤 전류를 측정하기 위함인가?

정답 1) ① 2) 86.25[V] 3) 103.5[V]
4) 시험기기의 절연내력시험 전압을 측정하기 위함이다.
5) 누설전류의 측정

2) 7[kV] 이하로서 시험배수는 1.5배가 된다.
따라서 시험전압 $V = 6,900 \times 1.5 = 10,350$[V]

전압계에 V_1 측정되는 전압 $= 10,350 \times \dfrac{1}{2} \times \dfrac{105}{6,300} = 86.25$[V]

3) V_2 측정되는 전압 $= 10,350 \times \dfrac{110}{11,000} = 103.5$[V]

08 6,600/220[V] 두 대의 단상 변압기 A, B가 있다. A기는 30[kVA]로서 2차로 환산한 저항과 리액턴스의 값은 $R_a = 0.03$[Ω], $X_a = 0.04$[Ω]이고, B기는 20[kVA]로서 2차로 환산한 값은 $R_B = 0.03$[Ω], $X_B = 0.06$[Ω]이다. 두 변압기의 병렬운전에서 40[kVA]의 부하를 건 경우 A기의 부하분담은 몇 [kVA]인가?

정답 22.91[kVA]

먼저 $\%Z_A = \dfrac{PZ}{10\,V^2} = \dfrac{30 \times \sqrt{0.03^2 + 0.04^2}}{10 \times 0.22^2} = 3.1$[%]

$\%Z_A = \dfrac{PZ}{10\,V^2} = \dfrac{20 \times \sqrt{0.03^2 + 0.06^2}}{10 \times 0.22^2} = 2.77$[%]

변압기의 부하분담비이므로

$\dfrac{P_a}{P_b} = \dfrac{P_A}{P_B} \times \dfrac{\%Z_B}{\%Z_A}$

$= \dfrac{30}{20} \times \dfrac{2.77}{3.1} = 1.34$

여기서 $P_a = 1.34 P_b$이며

$P_a + P_b = 40$[kVA]가 되므로

$P_a = 22.91$[kVA]

09 주어진 조건을 참고하여 정격차단전류가 24[kA], VCB의 정격전압이 170[kV]인 경우 수용가의 수전용 차단기의 차단용량은 몇 [MVA]인가?

조건				
차단기의 정격 차단용량[MVA]				
6,000	6,600	7,300	9,200	10,000

정답 7,300[MVA] 선정

차단기의 정격차단용량 $P_s{}'$

$$P_s{}' = \sqrt{3}\, V_n I_s$$
$$= \sqrt{3} \times 170 \times 10^3 \times 24 \times 10^3 \times 10^{-6} = 7{,}066.77[\text{MVA}]$$

10 델타결선 변압기의 한 대가 고장으로 제거되어 V결선으로 공급할 때, 변압기의 출력비와 이용률은 각각 몇 [%]인가?

정답 1) 57.7[%]
2) 86.6[%]

1) 출력비
$$\frac{P_V}{P_\Delta} = \frac{\sqrt{3}\,P_1}{3P_1} \times 100[\%] = 57.7[\%]$$

2) 이용률
$$\frac{\sqrt{3}\,P_1}{2P_1} \times 100[\%] = 86.6[\%]$$

11 다음은 한국전기설비규정(KEC)에 따른 과전류 보호에 대한 설명이다. 다음을 보고 빈칸에 알맞은 내용을 쓰시오.

> "중성선을 (①) 및 (②)하는 회로의 경우에 설치하는 개폐기 및 차단기는 (①) 시에는 중성선이 선도체보다 늦게 (①)되어야 하며, (②) 시에는 선도체와 동시 또는 그 이전에 (②)되는 것을 설치하여야 한다."

정답 ① 차단 ② 재연결

12 다음 차단기의 약호를 보고 명칭을 쓰시오.
1) OCB
2) ABB
3) GCB
4) MBB

정답
1) OCB : 유입차단기
2) ABB : 공기차단기
3) GCB : 가스차단기
4) MBB : 자기차단기

13 도면과 같은 345[kV] 변전소의 단선도와 변전소에 사용되는 주요 제원을 이용하여 다음 각 물음에 답하시오.

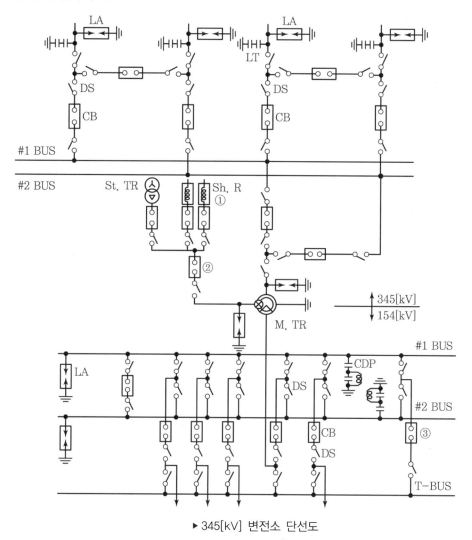

▶ 345[kV] 변전소 단선도

[주변압기]
• 단권변압기 345[kV]/154[kV]/23[kV]$(Y - Y - \Delta)$

    166.7[MVA]×3대 ≒ 500[MVA]
• OLTC부 %임피던스(500[MVA] 기준) : 1차～2차 : 10[%], 1～3차 : 78[%],

    2차～3차 : 67[%]

[차단기]
• 362[kV] GCB 25[GVA] 4,000[A] ～ 2,000[A]
• 170[kV] GCB 15[GVA] 4,000[A] ～ 2,000[A]
• 25.8[kV] VCB (   )[MVA] 2,500[A] ～ 1,200[A]

[단로기]
• 362[kV] DS 4,000[A] ～ 2,000[A]
• 170[kV] DS 4,000[A] ～ 2,000[A]
• 25.8[kV] DS 2,500[A] ～ 1,200[A]

[분로 리액터]
23[kV] Sh.R 30[MVAR]

[주모선]
Al-Tube 200ϕ

1) 도면의 345[kV]측 모선방식은 어떤 모선방식인가?

2) 도면에서 ①번 기기의 설치 목적은 무엇인가?

3) 도면에 주어진 제원을 참조하여 주변압기에 대한 등가 %임피던스(Z_H, Z_M, Z_L)를 구하고, ②번 23[kV] VCB의 차단용량을 계산하시오. (단, 그림과 같은 임피던스 회로는 100[MVA] 기준이다.)

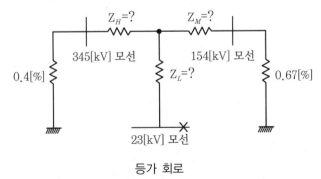

등가 회로

4) 도면의 345[kV] GCB에 내장된 계전기용 BCT의 오차계급은 C800이다. 부담은 몇 [VA]
   인가?

5) 도면의 ③번 차단기의 설치 목적을 설명하시오.

6) 도면의 주변압기 1 Bank(단상×3대)를 증설하여 병렬운전시키고자 한다. 이때 병렬운전
   을 할 수 있는 조건 4가지를 쓰시오.

정답   1) 2중 모선방식   2) 페란티현상방지   3) 716.33[MVA]
      4) 200[VA]   5) 모선절체 시 무정전으로 점검하기 위하여
      6) (1) 극성이 같을 것   (2) 정격전압(권수비)가 같을 것
         (3) %임피던스가 같을 것   (4) 내부 저항과 누설리액턴스의 비가 같을 것

3) (1) 등가 %임피던스(Z_H, Z_M, Z_L)
   조건에서 주어진 500[MVA]변압기의 %Z를 보면
   1차 ~ 2차 $Z_{HM} = 10[\%]$
   2차 ~ 3차 $Z_{ML} = 67[\%]$
   1차 ~ 3차 $Z_{HL} = 78[\%]$가 된다.
   이를 100[MVA]기준으로 재 환산하면

   $$Z_{HM} = 10 \times \frac{100}{500} = 2[\%]$$

   $$Z_{ML} = 67 \times \frac{100}{500} = 13.4[\%]$$

   $$Z_{HL} = 78 \times \frac{100}{500} = 15.6[\%]$이 된다.$$

   이를 통하여 등가 임피던스를 구하면

   ① $Z_H = \frac{1}{2}(Z_{HM} + Z_{HL} - Z_{ML}) = \frac{1}{2}(2 + 15.6 - 13.4) = 2.1[\%]$

   ② $Z_M = \frac{1}{2}(Z_{HM} + Z_{ML} - Z_{HL}) = \frac{1}{2}(2 + 13.4 - 15.6) = -0.1[\%]$

   ③ $Z_L = \frac{1}{2}(Z_{HL} + Z_{ML} - Z_{HM}) = \frac{1}{2}(15.6 + 13.4 - 2) = 13.5[\%]$가 된다.

   (2) 23[kV] VCB 차단용량
       고장점을 기준으로 등가회로를 그려보면

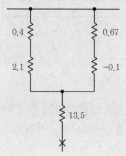

고장점까지의 합성 %[Z]를 구하면

$$\%Z = 13.5 + \frac{(2.1+0.4) \times (-0.1+0.67)}{(2.1+0.4)+(-0.1+0.67)} = 13.96[\%]$$

따라서 VCB의 차단용량을 구하면 $P_s = \dfrac{100}{\%Z}P_n = \dfrac{100}{13.96} \times 100 = 716.33[MVA]$가 된다.

4) 오차계급이 C800이므로 임피던스는 $8[\Omega]$이다.

따라서 변류기의 부담 $I^2R = 5^2 \times 8 = 200[VA]$가 된다.

14 VCB의 특징을 3가지만 쓰시오.

> **정답** 　1) 소형경량이다.
> 　　　　2) 소음이 작다.
> 　　　　3) 차단속도가 빠르다.

15 22.9[kV-Y) 중성선 다중접지식 전선로에 정격전압 13.2[kV], 정격용량 250[kVA]의 단상 변압기 3대를 이용하여 아래 그림과 같이 Y-△결선하고자 한다. 다음 물음에 답하시오.

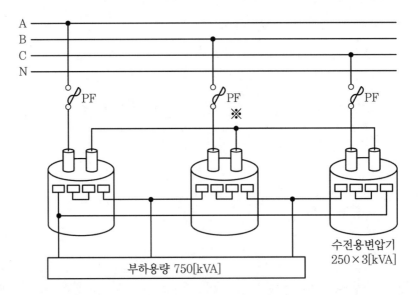

1) 변압기 1차측 Y결선의 중성점(%부분)의 전선로의 N선을 연결하여야 하는가? 아니면 연결하여서는 안 되는가? 연결하여야 하면 연결하여야 하는 이유를, 연결하여서는 안되면 안되는 이유를 설명하시오.

2) PF전력 퓨즈의 용량은 몇 [A]인지를 선정하시오. 단, 퓨즈는 전부하전류의 1.25배로 선정한다. (퓨즈의 용량[A]은 10, 15, 20, 30, 40, 50, 65, 80, 100, 125이다.)

정답 1) 연결하지 않는다. 2) 30[A] 선정

1) 연결하지 않는다.
　　임의의 1상 PF 용단 시 변압기가 역 V결선되어 과부하로 소손될 우려가 있어 연결하지 않는다.

2) $I = \dfrac{P}{\sqrt{3}\ V} \times 1.25$

　　$= \dfrac{750 \times 10^3}{\sqrt{3} \times 22.9 \times 10^3} \times 1.25 = 23.64[A]$

16 동기발전기의 병렬운전조건 4가지를 쓰시오.

정답 1) 기전력의 크기가 같을 것
　　　 2) 기전력의 위상이 같을 것
　　　 3) 기전력의 주파수가 같을 것
　　　 4) 기전력의 파형이 같을 것

17 그림과 같은 논리회로를 이용하여 다음 물음에 답하시오. (단, L은 Low이며, H는 High를 말한다.)

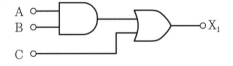

A	L	L	L	L	H	H	H	H
B	L	L	H	H	L	L	H	H
C	L	H	L	H	L	H	L	H
X								

정답								
A	L	L	L	L	H	H	H	H
B	L	L	H	H	L	L	H	H
C	L	H	L	H	L	H	L	H
X	L	H	L	H	L	H	H	H

18 다음 그림은 전자개폐기 MC에 의한 시퀀스 회로를 개략적으로 그린 것이다. 이 그림을 보고 다음 각 물음에 답하시오.

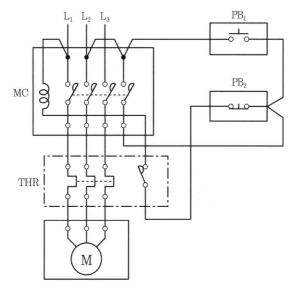

1) 그림과 같은 회로용 전자개폐기 MC의 보조 접점을 사용하여 자기유지가 될 수 있는 일반 적인 시퀀스 회로로 다시 작성하여 그리시오.

2) 시간 t_3에 열동 계전기가 작동하고, 시간 t_4에 수동으로 복귀하였다. 이때의 동작을 타임 차트로 표시하시오.

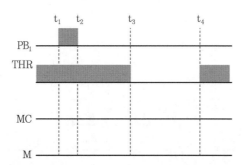

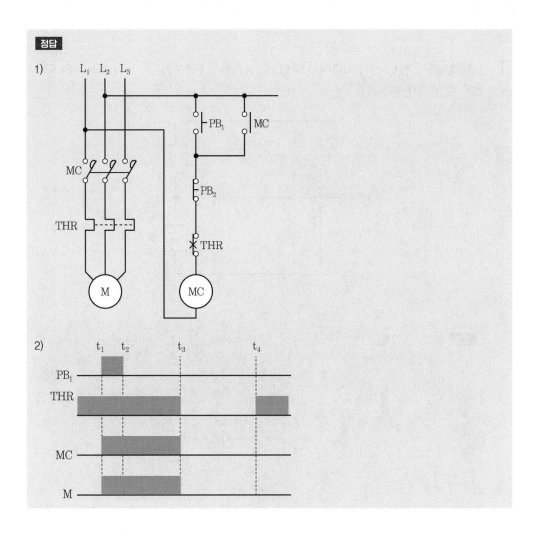

정답

1)

2)

01 그림과 같은 단상 3선식 회로에서 중성선이 X점에서 단선되었다. 부하 A와 부하 B의 단자전압은 몇 [V]가 되는가?

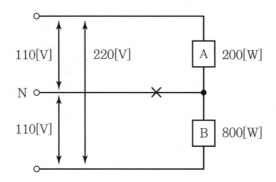

정답 $V_A = 175.99[V]$
$V_B = 44.01[V]$

• 부하 A와 부하 B의 저항

$R_A = \dfrac{V^2}{P_A}$

$= \dfrac{110^2}{200}$

$= 60.5[\Omega]$

$R_B = \dfrac{V^2}{P_B}$

$= \dfrac{110^2}{800}$

$= 15.13[\Omega]$

• 각 부하에 걸리는 전압

$V_A = \dfrac{R_A}{R_A + R_B} \times V$

$= \dfrac{60.5}{60.5 + 15.13} \times 220 = 175.99[V]$

$V_B = \dfrac{R_B}{R_A + R_B} \times V$

$= \dfrac{15.13}{60.5 + 15.13} \times 220 = 44.01[V]$

02 소비전력이 400[kW]이고, 무효전력이 300[kVar]의 부하에 대한 역률은 몇 [%]인가?

정답 80[%]

$$\cos\theta = \frac{P}{P_a}$$

$$= \frac{400}{\sqrt{400^2 + 300^2}} \times 100 = 80[\%]$$

03 다음 표와 같이 어느 수용가 A, B, C에 공급되는 배전선로의 최대전력은 600[kW]이다. 이 때 수용가의 부등률을 구하시오.

수용가	설비용량[kW]	수용률[%]
A	400	70
B	400	60
C	500	60

정답 1.37

$$부등률 = \frac{(400 \times 0.7) + (400 \times 0.6) + (500 \times 0.6)}{600} = 1.37$$

04 300[kVA]의 변압기에 역률 70[%]의 부하 300[kVA]가 접속되어 있다면, 이 부하에 병렬로 전력용 콘덴서를 접속하여 합성 역률을 95[%]로 한다면, 이 변압기에 부하는 몇 [kW] 증가 시킬 수 있는가?

정답 75[kW]

증가부하 $\Delta P = P_a(\cos\theta_2 - \cos\theta_1)$
$= 300 \times (0.95 - 0.7) = 75[\text{kW}]$

05 어느 수용가의 부하용량이 1,000[kW], 수용률이 70[%], 역률이 85[%]인 경우 수전설비 용량은 몇 [kVA]인가?

> **정답** 823.5[kVA]
>
> 최대전력 [kVA] = 설비용량$[kW]$ × 수용률 × $\dfrac{1}{\cos\theta}$
>
> $= 1,000 \times 0.7 \times \dfrac{1}{0.85} = 823.5$[kVA]

06 수용률의 식을 쓰고, 수용률의 의미를 간단히 쓰시오.

  1) 식

  2) 의미

> **정답**
> 1) 수용률 $= \dfrac{\text{최대전력}[kW]}{\text{설비용량}[kW]} \times 100[\%]$
> 2) 수용설비가 동시에 사용되는 정도를 말한다.

07 변류기(CT) 2대를 V결선하여 OCR 3대를 그림과 같이 연결하여 사용할 경우 다음 각 물음에 답하시오.

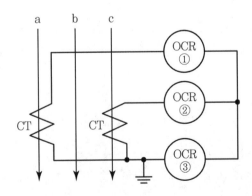

1) 우리나라에서 사용하는 변류기(CT)의 극성은 일반적으로 어떤 극성을 사용하는가?

2) 변류기 2차측에 접속하는 외부 부하 임피던스를 무엇이라고 하는가?

3) ③번 OCR에 흐르는 전류는 어떤 상의 전류인가?

4) OCR은 주로 어떤 사고가 발생하였을 때 동작하는가?

5) 그림에서 CT의 변류비를 30/5라고 하며, 변류기 2차측에 전류가 3[A]였다고 한다. 그렇다면 수전전력은 약 몇 [kW]인가? (단, 수전전압은 22,900[V]이며, 역률은 90[%]이다.)

> **정답** 1) 감극성   2) 부담   3) b상 전류   4) 단락전류   5) 642.56[kW]
>
> 5) 수전전력 $P = \sqrt{3}\, V_1 I_1 \cos\theta = \sqrt{3} \times 22,900 \times 3 \times \dfrac{30}{5} \times 0.9 \times 10^{-3} = 642.56[kW]$

08 다음 조건을 보고 물음에 답하시오. (단, 방전전류 $I_1 = 500[A]$, $I_2 = 300[A]$, $I_3 = 100[A]$, $I_4 = 200[A]$이며, 방전시간 $T_1 = 120[분]$, $T_2 = 119.9[분]$, $T_3 = 60[분]$, $T_4 = 1[분]$ 용량환산시간 $K_1 = 2.49$, $K_2 = 2.49$, $K_3 = 1.46$, $K_4 = 0.57$이며, 보수율은 0.80이다).

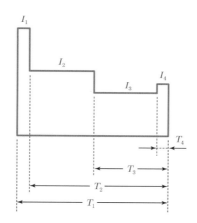

1) 위 조건에 대한 축전지 용량[Ah]을 구하시오.

2) 납축전지의 정격방전율은 몇 시간인가?

3) 납 축전지의 공칭전압은 1셀당 몇 [V]인가?

> **정답** 1) 640[Ah]　2) 10시간율　3) 2[V/cell]
>
> 1) $C = \dfrac{1}{L} KI$
>
> $\quad = \dfrac{1}{L}[(K_1 I_1) + K_2(I_2 - I_1) + K_3(I_3 - I_2) + K_4(I_4 - I_3)]$
>
> $\quad = \dfrac{1}{0.8}[(2.49 \times 500) + 2.49 \times (300 - 500) + 1.46 \times (100 - 300) + 0.57 \times (200 - 100)]$
>
> $\quad = 640[Ah]$

09 역률 개선에 따른 효과를 3가지만 쓰시오.

> **정답** 1) 전력손실 경감
> 　　　 2) 전압강하 경감
> 　　　 3) 설비용량 여유 증가

10 서지 흡수기(Surge Absorbr)의 기능과 설치 위치에 대해서 간단히 쓰시오.

1) 기능

2) 설치위치

> **정답** 1) 개폐서지 등 이상전압으로부터 변압기 등 기기보호
> 　　　 2) 개폐서지를 발생하는 차단기의 후단과 보호대상이 되는 기기의 전단 사이에 설치한다.

11 전력보안통신설비란 전력의 수급에 필요한 급전, 운전, 보수 등의 업무에 사용되는 전화 및 원격지에 있는 설비의 감시, 제어, 계측, 계통보호를 위해 전기적·광학적으로 신호를 송·수신하는 제 장치·전송로 설비 및 전원설비를 말한다. 이를 시설하여야 하는 장소를 3가지만 쓰시오.

> **정답** 1) 송전선로
> 2) 배전선로
> 3) 발전소, 변전소 및 변환소
> 그 외
> 배전자동차 주장치가 시설되어 있는 배전센터, 전력수급조절을 총괄하는 중앙급전사령실, 전력보안통신 데이터를 중계하거나 교환장치가 설치된 정보통신실
>
> 한국전기설비규정(362.1)
> 가. 송전선로
> (1) 66kV, 154kV, 345kV, 765kV계통 송전선로 구간(가공, 지중, 해저) 및 안전상 특히 필요한 장소
> (2) 고압 및 특고압 지중전선로가 시설되어 있는 전력구내에서 안전상 특히 필요한 장소
> (3) 직류 계통 송전선로 구간 및 안전상 특히 필요한 장소
> (4) 송변전자동화 등 지능형전력망 구현을 위해 필요한 구간
> 나. 배전선로
> (1) 22.9kV계통 배전선로 구간(가공, 지중, 해저)
> (2) 22.9kV계통에 연결되는 분산전원형 발전소
> (3) 폐회로 배전 등 신 배전방식 도입 개소
> (4) 배전자동화, 원격검침, 부하감시 등 및 지능형전력망 구현을 위해 필요한 구간
> 다. 발전소, 변전소 및 변환소
> (1) 원격감시제어가 되지 아니하는 발전소·원격 감시제어가 되지 아니하는 변전소(이에 준하는 곳으로서 특고 압의 전기를 변성하기 위한 곳을 포함한다)·개폐소, 전선로 및 이를 운용하는 급전소 및 급전분소 간
> (2) 2 이상의 급전소(분소) 상호 간과 이들을 통합 운용하는 급전소(분소) 간
> (3) 수력설비 중 필요한 곳, 수력설비의 안전상 필요한 양수소(量水所) 및 강수량 관측소와 수력발전소 간
> (4) 동일 수계에 속하고 안전상 긴급 연락의 필요가 있는 수력발전소 상호 간
> (5) 동일 전력계통에 속하고 또한 안전상 긴급연락의 필요가 있는 발전소·변전소(이에 준하는 곳으로 서 특고압의 전기를 변성하기 위한 곳을 포함한다) 및 개폐소 상호 간
> (6) 발전소·변전소 및 개폐소와 기술원 주재소 간. 다만, 다음 어느 항목에 적합하고 또한 휴대용이거 나 이동형 전력보안통신설비에 의하여 연락이 확보된 경우에는 그러하지 아니하다.
> (가) 발전소로서 전기의 공급에 지장을 미치지 않는 곳
> (나) 상주감시를 하지 않는 변전소(사용전압이 35kV 이하의 것에 한한다.)로서 그 변전소에 접속되 는 전선로가 동일 기술원 주재소에 의하여 운용되는 곳
> (7) 발전소·변전소(이에 준하는 곳으로서 특고압의 전기를 변성하기 위한 곳을 포함한다.)·개폐소· 급전소 및 기술원 주재소와 전기설비의 안전상 긴급 연락의 필요가 있는 기상대·측후소·소방서 및 방사선 감시계측 시설물 등의 사이
> 라. 배전자동화 주장치가 시설되어 있는 배전센터, 전력수급조절을 총괄하는 중앙급전사령실
> 마. 전력보안통신 데이터를 중계하거나, 교환장치가 설치된 정보통신실

12 6극 60[Hz]의 3상 권선형 유도전동기가 950[rpm]으로 정격회전할 때 1차측 단자를 전환해서 상회전 방향을 반대로 바꾸어 역전제동을 하는 경우 그 제동 토크를 전부하 토크와 같게 하기 위한 2차 삽입저항 R은 2차 1상의 저항 r의 몇 배가 되는가? (단, Y결선된 경우이다.)

정답 38배

먼저 슬립을 구하면

$$s = \frac{N_s - N}{N_s} = \frac{1,000 - 950}{1,000} = 0.05$$

역상 시 슬립을 구하면 $2 - s$이므로
$2 - 0.05 = 1.95$

따라서 $(\dfrac{r_2}{s_1} = \dfrac{r_2 + R}{s_2})$가 되므로

$$R = (\frac{s_2}{s_1} - 1)r_2$$

$$= (\frac{1.95}{0.05} - 1)r_2 = 38r_2$$

13 특고압 대용량 유입변압기의 내부고장을 보호하기 위한 장치를 하려고 한다. 이때 변압기의 내부고장 보호장치를 쓰시오.

1) 전기적 보호장치 : (   )

2) 기계적 보호장치 : (   ), (   )

정답 1) 비율차동계전기
2) 부흐홀츠계전기, 충격압력계전기

14 변압기 또는 선로의 사고에 대하여 뱅킹 내에서 건전한 변압기의 일부 또는 전부가 연쇄적으로 차단되어 사고 범위가 확대되어 나가는 현상을 무엇이라 하는가?

정답 케스케이딩 현상

15 그림은 154[kV] 계통의 절연협조를 위한 각 기기의 절연강도에 대한 비교 그림이다. 변압기, 선로애자, 개폐기 지지애자, 피뢰기 제한전압이 속해있는 부분은 어느 곳인지 그림의 □안에 쓰시오.

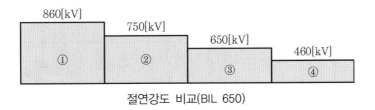

절연강도 비교(BIL 650)

> **정답** ① 선로애자 ② 개폐기 지지애자 ③ 변압기 ④ 피뢰기 제한전압

16 조명에 사용되는 다음 용어의 정의를 설명하시오.

1) 광속

2) 조도

3) 광도

> **정답**
> 1) 방사속 중 빛으로 느끼는 부분을 말한다.
> 2) 어떤 단위면적당의 입사광속
> 3) 광원에서 어떤 방향에 대한 단위 입체각으로 발산되는 광속을 말한다.

17 그림은 중형 환기팬의 수동운전 및 고장표시등 회로의 일부이다. 이 회로를 이용하여 다음 각 물음에 답하시오.

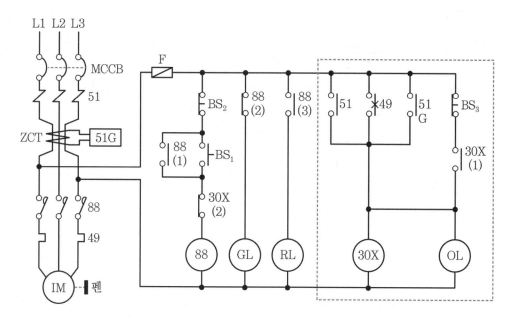

1) 88은 MC로서 도면에서는 출력기구이다. 도면에 표시된 기구(버튼) 및 램프에 대하여 다음에 해당되는 명칭을 그 약호로 쓰시오. (단, 버튼 및 램프에 대한 약호의 중복은 없고, MCCB, ZCT, IM, 펜은 제외하며, 해당되는 기구가 여러 가지일 경우에는 모두 쓰도록 한다.)

(1) 고장표시기구 :

(2) 고장 회복확인기구(버튼) :

(3) 기동기구(버튼) :

(4) 정지기구(버튼) :

(5) 운전표시램프 :

(6) 정지표시램프 :

(7) 고장표시램프 :

(8) 고장검출기구 :

2) 그림의 점선으로 표시된 회로를 AND, OR, NOT 게이트를 사용하여 로직회로를 그리시오. (단, 로직소자는 3입력 이하로 한다.)

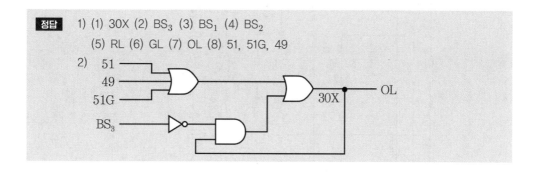

정답
1) (1) 30X (2) BS$_3$ (3) BS$_1$ (4) BS$_2$
   (5) RL (6) GL (7) OL (8) 51, 51G, 49

2)

18 그림은 3상 유도 전동기의 운전에 필요한 미완성 회로 도면이다. 이 회로를 이용하여 다음 각 물음에 답하시오.

1) 전원 표시가 가능하도록 전원 표시용 파일럿 램프 1개를 도면에 설치한다.

2) PB$_1$를 누르면 MC가 여자되며, 전동기가 운전, RL이 점등된다.

2) PB$_2$를 누르면 MC가 소자되며, GL램프가 점등되도록 회로를 구성하시오.

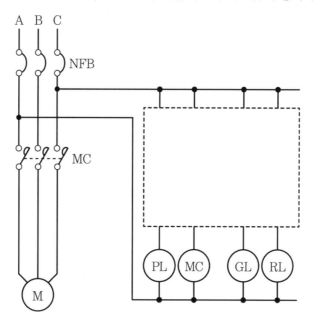

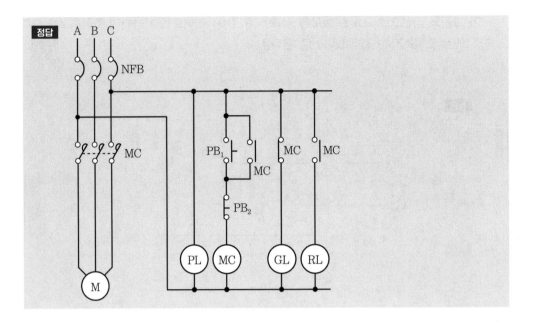

01 3층 사무실용 건물에 3상 3선식의 6,000[V]를 수전하여 200[V]로 체강하여 수전하는 설비를 하였다. 각종 부하설비가 표와 같을 때 주어진 조건을 이용하여 다음 각 물음에 답하시오.

┤ 참고자료 ├

▶ 동력 부하 설비

사용 목적	용량 [kW]	대수	상용 동력 [kW]	하계 동력 [kW]	동계 동력 [kW]
난방 관계 • 보일러 펌프 • 오일 기어 펌프 • 온수 순환 펌프	6.7 0.4 3.7	1 1 1			6.7 0.4 3.7
공기 조화 관계 • 1, 2, 3층 패키지 콤프레셔 • 콤프레셔 팬 • 냉각수 펌프 • 쿨링 타워	7.5 5.5 5.5 1.5	6 3 1 1	16.5	45.0 5.5 1.5	
급수 · 배수 관계 • 양수 펌프	3.7	1	3.7		
기타 • 소화 펌프 • 셔터	5.5 0.4	1 2	5.5 0.8		
합계			26.5	52.0	10.8

▶ 조명 및 콘센트 부하 설비

사용 목적	와트수 [W]	설치 수량	환산 용량 [VA]	총용량 [VA]	비고
전등 관계 • 수은등 A • 수은등 B • 형광등 • 백열 전등	200 100 40 60	2 8 820 20	260 140 55 60	520 1,120 45,100 1,200	200[V] 고역률 100[V] 고역률 200[V] 고역률
콘센트 관계 • 일반 콘센트 • 환기팬용 콘센트 • 히터용 콘센트 • 복사기용 콘센트 • 텔레타이프용 콘센트 • 룸 쿨러용 콘센트	 1,500	70 8 2 4 2 6	150 55	10,500 440 3,000 3,600 2,400 7,200	2P 15[A]
기타 • 전화 교환용 계류기		1		800	
계				75,880	

▶ 변압기 용량

상별	제작회사에서 시판되는 표준용량[kVA]
단상 3상	5, 10, 15, 20, 30, 50, 75, 100, 150, 200, 250, 300

──┤ 조건 ├──

1) 동력부하의 역률은 모두 70[%]이며, 기타는 100[%]이다.
2) 조명 및 콘센트 부하설비의 수용률은 다음과 같다.
    (1) 전등설비 : 60[%]
    (2) 콘센트설비 : 70[%]
    (3) 전화교환용 정류기 : 100[%]
3) 변압기 용량 산출 시 예비율은 고려하지 않으며 용량은 표준규격으로 답하시오.
4) 변압기 용량 산정 시 필요한 동력부하설비의 수용률은 전체 평균 65[%]로 한다.

(1) 동계 난방 때 온수 순환펌프는 상시 운전하고, 보일러용과 오일 기어펌프의 수용률이 55[%]라면 난방 동력 수용부하는 몇 [kW]인가?

(2) 상용 동력, 하계 동력, 동계 동력에 대한 피상전력은 몇 [kVA]인가?

(3) 이 건물의 총 전기설비 용량은 몇 [kVA]를 기준으로 하는가?

(4) 조명 및 콘센트 부하설비에 대한 단상변압기의 용량은 최소 몇 [kVA]인가?

(5) 동력 부하용 3상 변압기 용량은 몇 [kVA]인가?

(6) 단상과 3상 변압기의 전류계용으로 사용되는 변류기의 1차측 정격전류는 각각 몇 [A]인가?

(7) 역률개선을 위하여 각 부하마다 전력용 콘덴서를 설치하려고 할 때 보일러 펌프의 역률을 95[%]로 개선하려면 몇 [kVA]의 전력용 콘덴서가 필요한가?

정답 (1) 7.61[kW] (2) 상용 : 37.86[kVA] 하계 : 74.29[kVA] 동계 : 15.43[kVA]
　　　 (3) 188.03[kVA] (4) 48.56[kVA] (5) 75[kVA] 선정
　　　 (6) ① 10[A] 선정 ② 10[A] 선정 (7) 4.63[kVA]

(1) 난방 동력 수용부하 $= 3.7 + (6.7 + 0.4) \times 0.55 = 7.61[\text{kW}]$

(2) ① 상용 동력 $= \dfrac{26.5}{0.7} = 37.86[\text{kVA}]$

　　② 하계 동력 $= \dfrac{52}{0.7} = 74.29[\text{kVA}]$

　　③ 동계 동력 $= \dfrac{10.8}{0.7} = 15.43[\text{kVA}]$

(3) 총 전기설비 용량 = 37.86 + 74.29 + 75.88 = 188.03[kVA]

(4) ① 전등 $= (520 + 1,120 + 45,100 + 1,200) \times 0.6 \times 10^{-3} = 28.76$[kVA]

② 콘센트 $= (10,500 + 440 + 3,000 + 3,600 + 2,400 + 7,200) \times 0.7 \times 10^{-3} = 19$[kVA]

③ 기타 $= 800 \times 1 \times 10^{-3} = 0.8$[kVA]

④ 합계 $= 28.76 + 19 + 0.8 = 48.56$[kVA]

(5) 조건 중 동계와 하계 동력 중 큰 부하를 기준으로 하면

$$P = \frac{(26.5 + 52)}{0.7} \times 0.65 = 72.89[kVA]$$

(6) ① 단상 : $I = \dfrac{50 \times 10^3}{6 \times 10^3} \times (1.25 \sim 1.5) = 10.42 \sim 12.5$[A]

② 3상 : $I = \dfrac{75 \times 10^3}{\sqrt{3} \times 6 \times 10^3} \times (1.25 \sim 1.5) = 9.02 \sim 10.83$[A]

(7) $Q_c = P(\tan\theta_1 - \tan\theta_2)$

$\quad = P(\dfrac{\sqrt{1-\cos^2\theta_1}}{\cos\theta_1} - \dfrac{\sqrt{1-\cos^2\theta_2}}{\cos})$

$\quad = 6.7 \times (\dfrac{\sqrt{1-0.7^2}}{0.7} - \dfrac{\sqrt{1-0.95^2}}{0.95}) = 4.63$[kVA]

02 분전반에서 25[m]의 거리에 4[kW]의 교류 단상 200[V] 전열기를 설치하여 전압강하를 1[%] 이하가 되도록 하고자 한다. 배선방법을 금속관공사로 하고자 할 때, 전선의 굵기 [mm²]를 얼마로 선정하는 것이 적당한지 구하시오.

정답 10[mm²] 선정

단상 2선식의 전선의 굵기

$$A = \frac{35.6 LI}{1,000 e}$$

$$I = \frac{P}{V} = \frac{4 \times 10^3}{200} = 20[A]$$

전압강하 $e = 200 \times 0.01 = 2$[V]

$$A = \frac{35.6 \times 25 \times 20}{1,000 \times 2} = 8.9[mm^2]$$

$\therefore$ 10[mm²] 선정

03 다음 회로에서 전원 전압이 공급될 때, 전류계의 최대 측정 범위가 500[A]인 전류계로 전류 값이 1,500[A]인 전류를 측정하려고 한다. 전류계와 병렬로 몇 [Ω]의 저항을 연결하면 측정이 가능한지 계산하시오. (단, 전류계의 내부저항은 90[Ω]이다.)

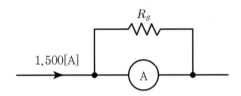

정답 45[Ω]

• 전류의 배율
$$n = \frac{I}{I_A} = \frac{1,500}{500} = 3\text{배}$$

• 분류기의 저항
$$R = \frac{1}{n-1} \times R_A$$
$$= \frac{1}{3-1} \times 90 = 45[\Omega]$$

04 10[kVar]의 전력용 콘덴서를 설치하고자 할 때 필요한 콘덴서의 정전용량[μF]을 각각 구하시오. (단, 사용전압은 380[V]이며, 주파수는 60[Hz]이다.)

1) 단상 콘덴서 3대를 Y결선할 때 콘덴서의 정전용량[μF]

2) 단상 콘덴서 3대를 △결선할 때 콘덴서의 정전용량[μF]

3) 콘덴서는 어떤 결선을 하여야 하는 것이 유리한지 간단히 설명하시오.

정답 1) 183.70[μF] 2) 61.23[μF] 3) 결선 시 Δ결선이 유리하다.

1) 콘덴서 용량 $Q_Y = 3\omega CE^2$

$$C = \frac{Q_Y}{3\omega CE^2}$$

$$= \frac{Q_Y}{\omega CV^2}$$

$$= \frac{10 \times 10^3}{2\pi \times 60 \times 380^2} \times 10^6 = 183.70[\mu F]$$

2) 콘덴서 용량 $Q_\Delta = 3\omega CE^2$

$$C = \frac{Q_\Delta}{3\omega CE^2}$$

$$= \frac{Q_\Delta}{3\omega CV^2}$$

$$= \frac{10 \times 10^3}{3 \times 2\pi \times 60 \times 380^2} \times 10^6 = 61.23[\mu F]$$

3) Δ결선 시 Y결선보다 정전용량이 $\frac{1}{3}$ 배로 감소하기 때문에 Δ결선이 유리하다.

05 그림과 같이 지지점 A, B, C에는 고저차가 없으며, 경간 AB와 BC 사이에 전선이 가설되었다. 지금 경간 AC중점인 지지점 B점에서 전선이 떨어졌다. 전선의 이도 D_2는 전선이 떨어지기 전 D_1의 몇배가 되는지 구하시오.

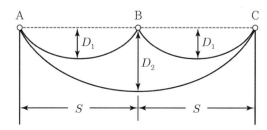

정답 2배

전선의 실제 길이 $L = S + \dfrac{8D^2}{3S}$ 이므로

$2L_1 = L_2$가 성립한다.

$2\left(S + \dfrac{8D_1^2}{3S}\right) = 2S + \dfrac{8D_2^2}{3 \times 2S}$

$2S + \dfrac{2 \times 8D_1^2}{3S} = 2S + \dfrac{8D_2^2}{3 \times 2S}$

$D_2^2 = \dfrac{2 \times 8D_1^2}{3S} \times \dfrac{3 \times 2S}{8}$

따라서 $D_2 = \sqrt{4D_1^2} = 2D_1$이 되어 2배가 된다.

---

06 권상 하중이 60[ton]이며, 3[m/min]의 속도로 끌어 올리는 권상용 전동기의 소요출력[kW]을 구하시오. (단, 기계효율은 80[%]이다.)

정답 36.76[kW]

권상용 전동기 출력

$P = \dfrac{WV}{6.12\eta}$

$= \dfrac{60 \times 3}{6.12 \times 0.8} = 36.76[kW]$

---

07 다음 그림을 참고하여 계전기의 명칭을 쓰시오.

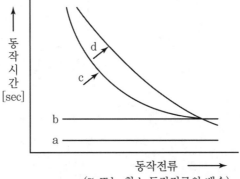

정답
1) a : 순한시 계전기
2) b : 정한시 계전기
3) c : 반한시 정한시 계전기
4) d : 반한시 계전기

08 그림과 같은 저압 배전방식의 명칭과 특징을 4가지만 쓰시오.

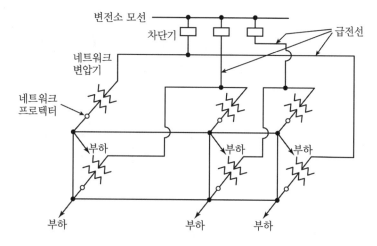

정답
1) 명칭 : 저압 네트워크 배전방식
2) 특징(4가지)
    (1) 무정전 공급이 가능하여 공급신뢰도가 높다.
    (2) 전력손실이 감소한다.
    (3) 부하증가에 대한 적응성이 좋다.
    (4) 전압변동률이 적다.

09 변류비 60/5인 CT 2대를 그림과 같이 접속할 때 전류계에 3[A]가 흐른다면 CT 1차측에 흐르는 전류는 몇 [A]인가?

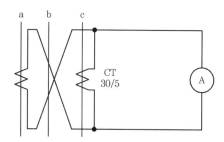

정답 6.93[A]

차동결선으로서

$$I_1 = I_2 \times CT비 \times \frac{1}{\sqrt{3}}$$

$$= 2 \times \frac{30}{5} \times \frac{1}{\sqrt{3}} = 6.93[A]$$

10 다음 그림과 같이 직류 2선식 선로가 있다. 급전점 A의 직류전압이 105[V]일 때, B지점과 C, D지점의 전압[V]을 구하시오. (단, 전선의 굵기는 모두 동일하며, 1,000[m]당 저항은 0.25[Ω]이다.)

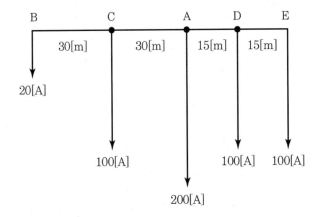

정답 1) 103.95[V] 2) 104.1[V] 3) 104.25[V]

1) B지점의 전압 V_B

$$V_B = V_A - IR$$
$$= 105 - \left[\left(120 \times \frac{30}{1,000} \times 0.25\right) + \left(20 \times \frac{30}{1,000} \times 0.25\right)\right] = 103.95[V]$$

2) C점의 전압

$$V_C = V_A - IR$$
$$= 105 - \left(120 \times \frac{30}{1,000} \times 0.25\right) = 104.1[V]$$

3) D지점의 전압

$$V_D = V_A - IR$$
$$= 105 - \left(200 \times \frac{15}{1,000} \times 0.25\right) = 104.25[V]$$

11 3상 4선식 송전선로의 1선당 저항이 20[Ω], 리액턴스가 10[Ω], 송전단 전압이 6,600[V], 수전단 전압 6,200[V], 부하를 끊을 시의 수전단 전압은 6,300[V]이다. 수전단의 역률이 0.8일 때 다음 각 물음에 답하시오.

1) 전압강하율을 구하시오.

2) 전압변동률을 구하시오.

정답 1) 6.45[%] 2) 1.61[%]

1) 전압강하율 $\epsilon = \dfrac{V_s - V_r}{V_r} \times 100[\%]$

$$= \frac{6,600 - 6,200}{6,200} \times 100[\%]$$
$$= 6.45[\%]$$

2) 전압변동률 $\delta = \dfrac{V_{r0} - V_r}{V_r} \times 100[\%]$

$$= \frac{6,300 - 6,200}{6,200} \times 100[\%]$$
$$= 1.61[\%]$$

12 100[kVA]의 변압기가 운전되고 있다. 하루 중 절반은 무부하, 나머지의 절반은 50[%], 나머지 시간은 전부하로 운전된다고 할 때, 전일효율은 몇 [%]가 되겠는가? (단, 이 변압기의 철손은 400[W], 동손은 1,300[W]라고 한다.)

> **정답** 97.89[%]
>
> 전일효율 $\eta = \dfrac{P}{P + P_i + P_c}$
>
> 1) 사용전력량 $P = (100 \times 0.5 \times 6) + (100 \times 1 \times 6) = 900$[kWh]
> 2) 철손 $P_i = 24 \times 0.4 = 9.6$[kWh]
> 3) 동손 $P_c = (1.3 \times 0.5^2 \times 6) + (1.3 \times 1^2 \times 6) = 9.75$[kWh]
> 4) $P = \dfrac{900}{900 + 9.6 + 9.75} \times 100 = 97.89$[%]

13 그림과 같이 V결선과 Y결선된 변압기 한 상의 중심점에서 110[V]를 인출하여 사용하고자 할 때 다음 각 물음에 답하시오.

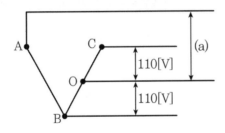 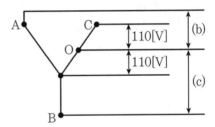

1) 위 그림에서 (a)의 전압을 구하시오.

2) 위 그림에서 (b)의 전압을 구하시오.

3) 위 그림에서 (c)의 전압을 구하시오.

> **정답** 1) 190.53[V]   2) 291.03[V]   3) 291.03[V]
>
> 1) $V_{A0} = \sqrt{220^2 - 110^2} = 190.53$[V]
> 2) $V_{B0} = \sqrt{(220 + 55)^2 + (55\sqrt{3})^2} = 291.03$[V]
> 3) $V_{C0} = \sqrt{(220 + 55)^2 + (55\sqrt{3})^2} = 291.03$[V]

14 다음 전등 부하 설비의 수용률과 설비용량이 표와 같을 때, 여기에 공급하는 변압기 용량 [kVA]을 구하시오. (단, 부하 간의 부등률은 1.30이며, 역률은 1이라고 한다.)

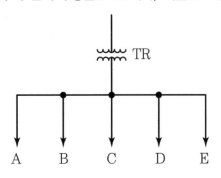

조건	A	B	C	D	E
설비용량[kW]	3	4.5	5.5	12	17
수용률[%]	65	45	70	50	50

정답 17.17[kVA]

$$변압기\ 용량 = \frac{개별수용최대전력의\ 합}{부등률 \times \cos\theta}$$
$$= \frac{(3 \times 0.65) + (4.5 \times 0.45) + (5.5 \times 0.7) + (12 \times 0.5) + (17 \times 0.5)}{1.3 \times 1}$$
$$= 17.17[kVA]$$

15 비상용 조명 부하 110[V]용 100[W] 58등, 60[W] 50등이 있다. 방전시간 30분, 축전지 HS형 54[cell], 허용 최저전압 100[V], 최저 축전지 온도 5[℃]일 때 축전지 용량은 몇 [Ah]인가? (단, 경년용량 저하율 0.8, 용량환산시간 $K = 1.2$이다.)

정답 120[Ah]

$$축전지용량\ C = \frac{1}{L}KI$$
$$I = \frac{P}{V} = \frac{100 \times 58 + 60 \times 50}{110} = 80[A]$$
$$C = \frac{1}{0.8} \times 1.2 \times 80 = 120[Ah]$$

16 가로 10[m], 세로 20[m]인 사무실의 조명설계를 하려고 한다. 40[W] 형광등(전광속 2,400[lm]) 전등을 설치하려고 한다. 실내 평균조도를 250[lx]라고 할 때, 소요 등수[개]를 계산하시오. (단, 조명률은 0.5이고, 감광보상률은 1.20이다.)

> **정답** 50[개]
>
> $FUN = DES$
>
> $N = \dfrac{DES}{FU} = \dfrac{1.2 \times 250 \times 10 \times 20}{2,400 \times 0.5} = 50[개]$

17 다음 그림의 출력 Z에 대한 논리식을 입력요소가 모두 나타나도록 전개하시오. (단, A, B, C, D는 모두 푸시버튼 스위치 입력이다.)

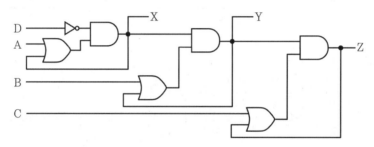

> **정답** $X = (A + X) \cdot \overline{D}$
>
> $Y = (B + Y) \cdot (A + X) \cdot \overline{D}$
>
> $Z = (C + Z) \cdot (B + Y) \cdot (A + X) \cdot \overline{D}$

18 다음 PLC 프로그램을 보고 프로그램에 맞도록 주어진 PLC 접점 회로도를 완성하시오.

① STR : 입력 A접점(신호)

② STRN : 입력 B접점(신호)

③ AND : AND A 접점

④ ANDN : AND B 접점

⑤ OR : OR A 접점

⑥ ORN : OR B 접점

⑦ OB : 병렬접속점

⑧ OUT : 출력

⑨ END : 끝

⑩ W : 각 번지 끝

어드레스	명령어	데이터	비고
01	STR	001	W
02	STR	003	W
03	ANDN	002	W
04	OB	–	W
05	OUT	100	W
06	STR	001	W
07	ANDN	002	W
08	STR	003	W
09	OB	–	W
10	OUT	200	W
11	END	–	W

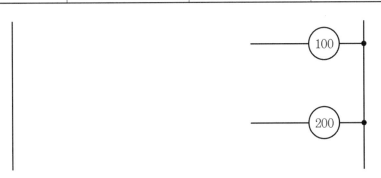

▸ PLC 접점 회로도

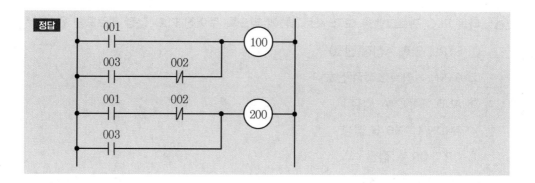

2023년 제3회 전기산업기사 실기 기출문제

01 그림과 같은 분기회로의 전선의 굵기를 표준 공칭 단면적으로 산정하시오. (단, 전압강하는 2[V] 이하이고, 배선방식은 교류 220[V], 단상 2선식이며, 후강전선관 공사로 한다.)

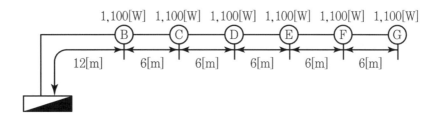

1,100[W] 1,100[W] 1,100[W] 1,100[W] 1,100[W] 1,100[W]
ⓑ 12[m] ⓒ 6[m] ⓓ 6[m] ⓔ 6[m] ⓕ 6[m] ⓖ 6[m]

정답 16[mm²] 선정

전류 $i = \dfrac{P}{V} = \dfrac{1,100}{220} = 5[A]$

부하중심점까지의 거리 $L = \dfrac{i_1 \ell_1 + i_2 \ell_2 + i_3 \ell_3 + \cdots i_n \ell_n}{i_1 + i_2 + i_3 + \cdots + i_n}$

$= \dfrac{5 \times 12 + 5 \times 18 + 5 \times 24 + 5 \times 30 + 5 \times 36 + 5 \times 42}{5 + 5 + 5 + 5 + 5 + 5} = 27[m]$

전류 $I = \dfrac{1,100 \times 6}{220} = 30[A]$

전선의 굵기 $A = \dfrac{35.6 LI}{1,000e} = \dfrac{35.6 \times 27 \times 30}{1,000 \times 2} = 14.42[mm^2]$

∴ 16[mm²] 선정

02 유효전력이 60[kW] 역률이 80[%]인 부하에 유효전력 40[kW] 역률 60[%] 부하를 새로 추가하였을 때 합성한 유효전력과 무효전력을 구하시오.

정답
1) 유효전력 100[kW]
2) 무효전력 98.33[kVar]

1) 유효전력 $P_0 = 60 + 40 = 100[kW]$

2) 무효전력 $Q_0 = 60 \times \dfrac{0.6}{0.8} + 40 \times \dfrac{0.8}{0.6} = 98.33[kVar]$

03 정격출력 37[kW], 역률 0.8, 효율 0.82인 3상 유도전동기가 있다. 변압기를 V결선하여 전원을 공급하고자 한다면 변압기 1대의 최소용량은 몇 [kVA]이어야 하는가?

> **정답** 32.56[kVA]
>
> V결선 시 출력 $P_V = \sqrt{3}\,P_n$
>
> $$P_n = \frac{P_V}{\sqrt{3}}$$
>
> $$= \frac{56.4}{\sqrt{3}} = 32.56[\text{kVA}]$$

04 다음 그림과 같이 단상 3선식 110/220[V]로 전열기 및 전동기 부하에 전력을 공급하고자 한다. 설비의 불평형률을 구하시오.

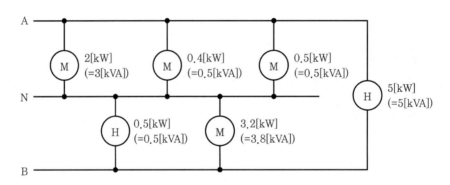

> **정답** 4.51[%]
>
> $$\text{설비불평형률} = \frac{(0.5+3.8) - (3+0.5+0.5)}{(3+0.5+0.5+0.5+3.8+5) \times \dfrac{1}{2}} \times 100 = 4.51[\%]$$

05 다음 그림에서 AD는 간선이다. A, B, C, D 중 어느 점에서 전원을 공급할 경우 간선의 전력 손실이 최소로 될 수 있는지를 계산하여 선정하시오.

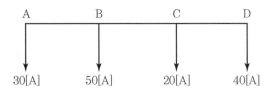

A	B	C	D
30[A]	50[A]	20[A]	40[A]

정답 B점

1) A점을 급전점으로 할 경우 전력손실
$$P_{\ell A} = (50+20+40)^2 r + (20+40)^2 r + 40^2 r = 17,300r[\text{W}]$$
2) B점을 급전점으로 할 경우 전력손실
$$P_{\ell B} = 30^2 r + (20+40)^2 r + 40^2 r = 6,100r[\text{W}]$$
3) C점을 급전점으로 하였을 경우의 전력손실
$$P_{\ell C} = (30+50)^2 r + 30^2 r + 40^2 r = 8,900r[\text{W}]$$
4) D점을 급전점으로 하였을 경우의 전력손실
$$P_{\ell D} = (30+50+20)^2 r + (30+50)^2 r + 30^2 r = 17,300r[\text{W}]$$

따라서 B점에서 전력공급 시 전력손실이 가장 적다.

06 설비용량이 100[kW], 수용률이 80[%], 부하율이 60[%]인 수용가의 1개월간의 사용전력량은 몇 [kWh]인가? (단, 1개월은 30일간으로 한다.)

정답 34,560[kWh]

$$부하율 = \frac{\dfrac{사용전력량[kWh]}{시간[h]}}{최대전력[kw]}$$

사용전력량 = 부하율 × 설비용량 × 수용률 × 시간
$$= 0.6 \times 100 \times 0.8 \times 30 \times 24 = 34,560[\text{kWh}]$$

07 피뢰기의 구비조건을 3가지만 쓰시오.

> **정답**
> 1) 상용주파방전 개시전압이 높을 것
> 2) 충격방전 개시전압이 낮을 것
> 3) 제한전압이 낮을 것

08 다음은 유도장해의 구분에 관한 내용이다. 다음 괄호 안에 알맞은 내용을 쓰시오.

1) (①)은/는 전력선과 통신선 사이의 상호인덕턴스에 의한 장해

2) (②)은/는 전력선과 통신선 사이의 상호정전용량에 의한 장해

3) (③)은/는 양자에 의한 영향도 있지만 상용주파수보다 높은 고조파의 유도에 의한 잡음 장해

> **정답**
> ① 전자유도장해
> ② 정전유도장해
> ③ 고조파유도장해

09 그림과 같이 지선을 가설하여 전주에 가해진 수평장력 800[kg]을 지지하고자 한다. 4[mm] 의 철선을 지선으로 사용한다면 몇 가닥으로 하면 되는지를 구하시오. (단, 4[mm] 철선 1가 닥의 인장하중은 440[kg]으로 하고, 안전율은 2.5라고 한다.)

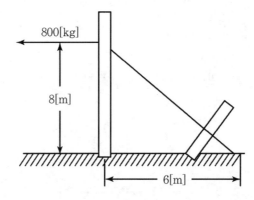

정답 8가닥

먼저 지선의 장력을 구하면

$$T_0 = \frac{P}{\cos\theta}$$

$$= \frac{800}{\frac{6}{\sqrt{8^2+6^2}}} = 1,333.33[\text{kg}]$$

가닥수 $= \dfrac{\text{지선의 장력} \times \text{안전률}}{\text{인장하중}}$

$$= \frac{1,333.33 \times 2.5}{440} = 7.57 \text{가닥}$$

10 다음은 전압의 구분에 대한 내용이다. 다음을 보고 괄호 안에 알맞은 내용을 쓰시오.

1) (①)은/는 전선로를 대표하는 송전단 선간전압이며, 그 계통의 송전전압이다.

2) (②)은/는 기기설계 시 및 절연설계 시에 사용되며, 최고의 선간전압으로 염해대책, 1선지락 시 내부이상전압, 코로나장해, 정전유도장해 등을 고려 시 표준이 되는 전압을 말한다.

정답 ① 공칭전압
② 계통 최고전압

11 10[MVA]를 기준으로 전원측 %임피던스가 25[%]인 경우 수전점의 단락용량[MVA]을 구하시오.

정답 40[MVA]

단락용량 $P_s = \dfrac{100}{\%Z}P_n$

$$= \frac{100}{25} \times 10 = 40[\text{MVA}]$$

12 다음은 한국전기설비규정(KEC)에 의거한 내용이다. 물음을 보고 알맞은 답을 쓰시오.

1) 저압 가공인입선이 도로를 횡단 시 지표상 높이는 몇 [m] 이상이어야 하는가? (단, 농로 기타 교통이 번잡하지 않은 도로 및 횡단보도교(도로 · 철도 · 궤도 등의 위를 횡단하여 시설하는 다리 모양의 시설물로서 보행용으로만 사용되는 것)를 제외한다.)

2) 저압 가공인입선이 철도를 횡단 시 레일면상 높이는 몇 [m] 이상이어야 하는가?

정답　1) 6　2) 6.5

13 다음 그림은 22.9[kV-Y] 1,000[kVA] 이하에 적용 가능한 특별고압 간이 수전설비 결선도 이다. 물음에 답하시오.

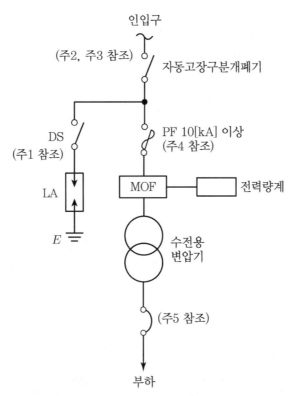

1) 자동고장 구분개폐기의 약호는?

2) 위 결선도에서 생략가능한 것은 무엇인가?

3) 22.9[kV-Y]용 LA는 어떤 것이 붙어 있는 것을 사용하여야 하는가?

4) 인입선을 지중으로 시설하는 경우 공동주택등 고장 시 정전피해가 큰 인입선은 몇 회선으로 시설하여야 하는가?

5) 22.9[kV-Y] 계통에서는 수전설비 지중인입선으로 어떤 케이블을 사용하여야 하는가?

6) 화재 우려가 있는 장소에는 어떤 케이블을 사용하는가?

7) 300[kVA] 이하인 경우 PF대신 비대칭 차단전류는 몇 [kA]의 COS를 사용할 수 있는가?

> **정답** 1) ASS 2) 피뢰기용 단로기 3) Disconnector 붙임형 4) 2회선
> 5) CNCV − W(수밀형) 또는 TR CNCV − W(트리억제형)
> 6) FR CNCO − W(난연) 7) 10[kA] 이상

14 단상 커패시터 3개를 선간전압 3,300[V], 주파수 60[Hz]의 선로에 △로 접속하여 60[kVA]가 되도록 하려면 커패시터 1개의 정전용량[μF]은 약 얼마로 하면 되는가?

> **정답** 4.87[μF]
>
> 콘덴서 용량 $Q = 3\omega CE^2$
> 여기서 △결선이므로
> $Q_\Delta = 3\omega CE^2$
> $C = \dfrac{Q_\Delta}{3\omega E^2}$ 가 된다.
> $C = \dfrac{60 \times 10^3}{3 \times 2\pi \times 60 \times 3{,}300^2} \times 10^6 = 4.87[\mu F]$

15 다음 그림은 농형 유도전동기의 직입기동에 대한 미완성 회로이다. 동작설명을 보고 미완성 시퀀스를 완성하시오.

1) 전원투입 시 GL이 점등한다.

2) PB ON을 누르면 MC가 여자되며 RL이 점등하고, GL은 소등하며, 전동기가 회전한다.

3) PB OFF를 누르면 MC는 소자되며, 전동기는 정지한다. RL은 소등하며, GL은 점등한다.

4) 과부하 시 THR에 의해 전동기가 정지하고 RL이 소등되며, GL이 점등한다.

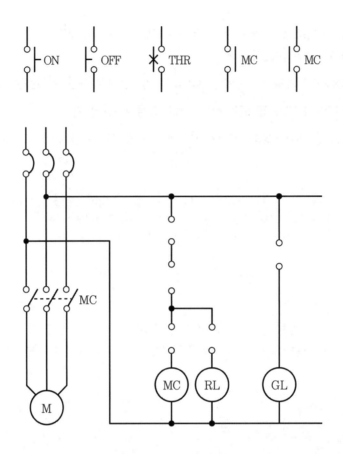

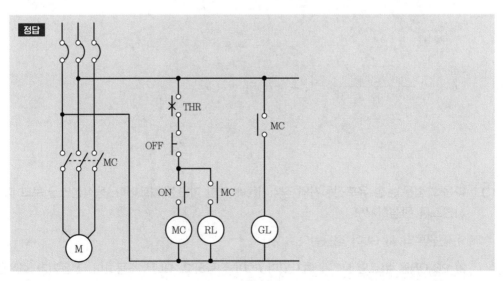

16 모든 방향의 광도 400[cd]가 되는 전등을 지름 4[m]의 책상 중심 바로 위 2[m]되는 곳에 설치하였다. 이 책상 위의 최소 수평조도는 몇 [lx]인가?

> **정답** 35.36[lx]
>
> 수평면 조도 $E_h = \dfrac{I}{r^2} \times \cos\theta$
>
> $= \dfrac{400}{(\sqrt{2^2+2^2})^2} \times \dfrac{2}{\sqrt{2^2+2^2}}$
>
> $= 35.555[lx]$

17 2,000[lm]의 전등 30등을 100[m²]의 사무실에 설치하고자 한다. 조명률은 0.5, 감광보상률은 1.5인 경우 이 사무실의 평균조도[lx]를 구하시오.

> **정답** 200[lx]
>
> $FUN = DES$
>
> $E = \dfrac{FUN}{DS}$
>
> $= \dfrac{2,000 \times 0.5 \times 30}{1.5 \times 100} = 200[lx]$

18 조명에서 사용되는 용어로서 사람의 눈으로 보아 빛을 느껴지는 것으로 광원으로부터 발산되는 빛의 양을 말한다. 이에 따른 용어와 단위를 쓰시오.

> **정답** 용어 : 광속
>
> 단위 : [lm]

2022년 제1회 전기기사 실기 기출문제

01 주어진 조건을 이용하여 영상전압, 정상전압, 역상전압을 구하시오. (단, $V_a = 7.3 \angle 12.5°$, $V_b = 0.4 \angle -100°$, $V_c = 4.4 \angle 154°$ 이며, 상순은 A-B-C이다.)

> **정답**
>
> 1) 영상전압 V_0
>
> $$V_0 = \frac{1}{3}(V_a + V_b + V_c)$$
> $$= \frac{1}{3}(7.3 \angle 12.5° + 0.4 \angle -100° + 4.4 \angle 154°)$$
> $$= 1.47 \angle 45.11°$$
> $$= 1.03 + j1.03$$
>
> 2) 정상전압 V_1
>
> $$V_1 = \frac{1}{3}(V_a + a V_b + a^2 V_c)$$
> $$= \frac{1}{3}(7.3 \angle 12.5° + 1 \angle 120° \times 0.4 \angle -100° + 1 \angle -120° \times 4.4 \angle 154°)$$
> $$= 3.97 \angle 20.54°$$
> $$= 3.72 + j1.39$$
>
> 3) 역상전압 V_2
>
> $$V_2 = \frac{1}{3}(V_a + a^2 V_b + a V_c)$$
> $$= \frac{1}{3}(7.3 \angle 12.5° + 1 \angle -120° \times 0.4 \angle -100° + 1 \angle 120° \times 4.4 \angle 154°)$$
> $$= 2.52 \angle -19.7°$$
> $$= 2.38 - j0.85$$

02 커패시터에서 주파수가 50[Hz]에서 60[Hz]로 증가했을 때 전류는 몇 [%]가 증가 또는 감소하는가?

> **정답**
>
> $$I = \frac{V}{z} = \frac{V}{\frac{1}{wc}} = 10\omega c V = 2\pi f c V$$
>
> 50[Hz]일 때 전류 : I
> 60[Hz]일 때 전류 : I'
>
> $I : I' = 50 : 60$
> $I' \times 50 = I \times 60$
> $\therefore I' = \frac{60}{50} I = 1.2$ $\therefore$ 20[%] 증가

03 변압기 용량 500[kVA]에 역률 0.6, 500[kVA] 부하가 접속되어 있다. 커패시터를 설치하여 역률을 0.9로 개선하고자 한다면 부하[kW]를 얼마만큼 더 증가할 수 있게 되는가? (단, 추가되는 부하의 역률을 0.9라고 한다.)

정답

1) 커패시터 설치 전의 유효전력
   $P_1 = 500 \times 0.6 = 300[\text{kW}]$

2) 커패시터 설치 후의 유효전력
   $P_2 = 500 \times 0.9 = 450[\text{kW}]$

3) 증가시킬 수 있는 유효전력
   $\Delta P = P_2 - P_1 = 450 - 300[\text{kW}] = 150[\text{kW}]$

04 측정범위 1[mA], 내부저항 20[kΩ]의 전류계에 분류기를 붙여서 6[mA]까지 측정하고자 한다. 몇 [Ω]의 분류기를 사용하여야 하는가?

정답

$$I_2 = I_1\left(1 + \frac{R}{R_m}\right)$$

$$6 \times 10^{-3} = 1 \times 10^{-3} \times \left(1 + \frac{20}{R_m}\right)$$

$$6 = 1 + \frac{20}{R_m}$$

$$5 = \frac{20}{R_m}$$

$$R_m = \frac{20}{5} = 4[\text{k}\Omega]$$

$$\quad = 4,000[\Omega]$$

05 다음은 어느 제조공장의 부하 목록이다. 부하중심거리공식을 활용하여 부하중심위치(X, Y)를 구하시오. (단, X는 X축 좌표, Y는 Y축 좌표를 의미하며 다른 주어지지 않은 조건은 무시한다.)

구분	분류	소비전력량	위치(X)	위치(Y)
1	물류저장소	120[kWh]	4[m]	4[m]
2	유틸리티	60[kWh]	9[m]	3[m]
3	사무실	20[kWh]	9[m]	9[m]
4	생산라인	320[kWh]	6[m]	12[m]

정답

부하 중심점 거리 L

1) X축

$$L = \frac{P_1 X_1 + P_2 X_2 + P_3 X_3 + P_4 X_4}{P_1 + P_2 + P_3 + P_4}$$

$$= \frac{120 \times 4 + 60 \times 9 + 20 \times 9 + 320 \times 6}{120 + 60 + 20 + 320}$$

$$= 6[m]$$

2) Y축

$$L = \frac{P_1 Y_1 + P_2 Y_2 + P_3 Y_3 + P_4 Y_4}{P_1 + P_2 + P_3 + P_4}$$

$$= \frac{120 \times 4 + 60 \times 3 + 20 \times 9 + 320 \times 12}{120 + 60 + 20 + 320}$$

$$= 9[m]$$

06 전압 22,900[V], 주파수 60[Hz], 1회선의 3상 지중 송전선로의 3상 무부하 충전전류 및 충전용량을 구하시오. (단, 송전선로의 선로길이는 7[km], 케이블 1선당 작용정전용량은 0.4[μF/km]라고 한다.)

정답

1) 충전전류 I_c

$$I_c = \omega C E$$

$$= 2\pi \times 60 \times 0.4 \times 10^{-6} \times 7 \times \left(\frac{22,900}{\sqrt{3}}\right) = 13.96[A]$$

2) 충전용량

$$Q_c = 3\omega C E^2$$

$$= 3 \times 2\pi \times 60 \times 0.4 \times 10^{-6} \times 7 \times \left(\frac{22,900}{\sqrt{3}}\right)^2 \times 10^{-3} = 553.55[kVA]$$

07 154[kV] 중성점 직접 접지계통의 피뢰기 정격전압은 어떤 것을 선택하여야 하는가?
(단, 접지계수는 0.75, 유도계수는 1.10이다.)

피뢰기 정격전압[kV]					
126	144	154	168	182	196

> **정답**
>
> 피뢰기 정격전압 V_n
>
> $V_n = \alpha \beta V_m = 0.75 \times 1.1 \times 170 = 140.25 [kV]$
>
> $\therefore$ 144[kV] 선정

08 최대수요전력 5,000[kW], 부하의 역률 0.9, 네트워크(Network) 수전 회선수는 4회선, 네트워크 변압기의 과부하율이 1.3이라면 네트워크 변압기 용량은 몇 [kVA] 이상이어야만 하는가?

> **정답**
>
> 네트워크 변압기 용량 $= \dfrac{최대부하[kVA]}{수전회선수-1} \times \dfrac{100}{과부하율}$
>
> $= \dfrac{\frac{5,000}{0.9}}{4-1} \times \dfrac{100}{130} = 1,424.5[kVA]$

09 대지 고유저항률 400[Ω·m], 직경 19[mm], 길이 2,400[mm]인 접지봉을 전부 매입한다고 한다. 접지저항(대지저항)값은 얼마인가?

> **정답**
>
> $R = \dfrac{\rho}{2\pi\ell} \times \ln\dfrac{2\ell}{r}[\Omega]$
>
> $= \dfrac{400}{2\pi \times 2.4} \times \ln\dfrac{2 \times 2.4}{\frac{0.019}{2}} = 165.125[\Omega]$

10 한국전기설비규정에서 정한 과전류차단기 시설이 제한되는 장소를 3가지 쓰시오. (단, 전동기 과부하 보호는 제외한다.)

> **정답**
> 1) 접지공사의 접지도체
> 2) 다선식전로의 중성선
> 3) 전로 일부에 접지공사를 한 저압가공전선로의 접지 측 전선

11 다음 부하에 대한 발전기 최소 용량[kVA]을 아래의 조건을 이용하여 산정하시오. (단, 전동기 [kW]당 입력 환산계수(a)는 1.45, 전동기의 기동계수(c)는 2, 발전기의 허용전압강하계수(k)는 1.45이다.)

> ──┤ 조건 ├──
>
> 발전기용량산정식 $P_G \geq [\sum P + (\sum P_m - P_L) \times + (P_L \times a \times c)] \times k$
> (여기서,
> P_G : 발전기용량
> P : 전동기 이외의 부하 용량 합계[kVA]
> $\sum P_m$: 전동기 부하 용량 합계[kW]
> P_L : 전동기 부하 중 기동용량이 가장 큰 전동기 부하 용량[kW]
> a : 전동기 [kW]당 입력[kVA] 용량계수
> c : 전동기의 기동 계수
> k : 발전기의 허용전압강하계수)
>
> | NO | 부하의 종류 | 부하용량 |
> |---|---|---|
> | 1 | 유도전동기 부하 | 37[kW]×1대 |
> | 2 | 유도전동기 부하 | 10[kW]×5대 |
> | 3 | 전동기 외의 부하의 용량 | 30[kVA] |

> **정답**
> $P_G \geq [\sum P + (\sum P_m - P_L) \times + (P_L \times a \times c)] \times k$
> $= [30 + (87 - 37) \times 1.45 + (37 \times 1.45 \times 2)] \times 1.45 = 304.21[kVA]$

12 단상 변압기에서 전부하 2차 단자전압 115[V], 권수비 20, 전압변동률 2[%]일 때 1차 전압을 구하시오.

정답

변압기 1차 전압 V_1

$V_1 = a(\epsilon + 1)\,V_{2n} = 20 \times (0.02 + 1) \times 115 = 2{,}346[\text{V}]$

13 다음과 같은 380[V] 선로에서 계기용 변압기의 PT비가 380/110[V]이다. 아래의 그림을 참조하여 다음 각 물음에 답하시오.

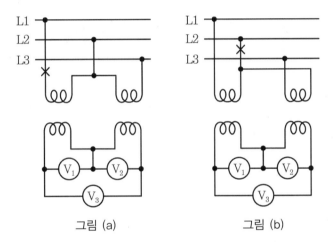

그림 (a)   그림 (b)

1) 그림 (a)에서 X지점에서 단선 사고가 발생하였을 경우 전압계의 지시값 V_1, V_2, V_3를 구하시오.

정답

(1) $V_1 = 0[\text{V}]$

(2) $V_2 = 380 \times \dfrac{110}{380} = 110[\text{V}]$

(3) V_3의 경우 V_1과 V_2의 합의 전압이 걸리므로

$\quad V_3 = 0 + 380 \times \dfrac{110}{380} = 110[\text{V}]$가 된다.

2) 그림 (b)의 X지점에서 단선 사고 시 전압계 지시값 V_1, V_2, V_3를 구하시오.

정답

(1) $V_1 = 380 \times \dfrac{1}{2} \times \dfrac{110}{380} = 55[\text{V}]$

(2) $V_2 = 380 \times \dfrac{1}{2} \times \dfrac{110}{380} = 55[\text{V}]$

(3) $V_3 = $ V_1과 V_2의 차가 되므로 0[V]가 된다.

14 154[kV] 계통의 변전소에 다음과 같은 정격전압 및 용량을 갖는 3권선 변압기가 있다. 다음 각 물음에 답하시오. (단, 기타 주어지지 않은 조건은 무시한다.)

1차 입력 154[kV]	2차 입력 66[kV]	3차 입력 23[kV]
1차 용량 100[MVA]	2차 용량 100[MVA]	3차 용량 50[MVA]
$\%X_{12} = 9[\%]$	$X_{23} = 3[\%]$	$\%X_{31} = 8.5[\%]$
(100[MVA] 기준)	(50[MVA] 기준)	(50[MVA] 기준)

1) 각 권선의 %X를 100[MVA]를 기준으로 구하시오.

정답

100[MVA]를 기준으로 리액턴스를 구하면 다음과 같다.

$X_{23} = \dfrac{100}{50} \times 3 = 6[\%]$

$X_{31} = \dfrac{100}{50} \times 8.5 = 17[\%]$

(1) $\%X_1 = \dfrac{1}{2}(9 + 17 - 6) = 10[\%]$

(2) $\%X_2 = \dfrac{1}{2}(9 + 6 - 17) = -1[\%]$

(3) $\%X_3 = \dfrac{1}{2}(6 + 17 - 9) = 7[\%]$

2) 1차 입력이 100[MVA](역률이 0.9진상)이고, 3차에 50[MVA]의 전력용 커패시터를 접속했을 때 2차 출력[MVA]과 역률[%]을 구하시오.

정답

(1) 1차 측 유효전력 $P_1 = 100 \times 0.9 = 90$[MW]

(2) 1차 측 무효전력 $Q_1 = 100 \times \sqrt{1 - 0.9^2} = 43.58$[MVar]

(3) 3차 측 무효전력이 50[MVar]이므로

피상전력 $P_a = \sqrt{90^2 + (43.58 + 50)^2} = 129.84$[MVA]

역률 $\cos\theta = \dfrac{P}{P_a} = \dfrac{90}{129.84} \times 100 = 69.31$[%]

15   감리자의 작업 지시 등이 서로 일치하지 아니하는 경우에 있어서 계약으로 그 적용의 우선순위를 정하지 아니한 때의 순서를 바르게 배열하시오.

① 설계도면
② 공사시방서
③ 산출내역서
④ 전문시방서
⑤ 표준시방서
⑥ 감리자의 지시사항

정답

② → ① → ④ → ⑤ → ③ → ⑥

16 아래 그림은 누전차단기를 적용하는 것으로 CVCF 출력단의 접지용 콘덴서 $C_0 = 5[\mu F]$ 이고, 부하 측 라인필터의 대지 정전용량 $C_1 = C_2 = 0.1[\mu F]$, 누전차단기 ELB$_1$에서 지락점까지의 케이블의 대지정전용량 $C_{L1} = 0.2[\mu F]$(EBL$_1$의 출력단에 지락 발생 예상), ELB$_2$에서 부하 2까지의 케이블의 대지정전용량은 $C_{L2} = 0.2[\mu F]$이다. 지락저항은 무시하며, 사용 전압은 220[V], 주파수가 60[Hz]인 경우 다음 각 물음에 답하시오.

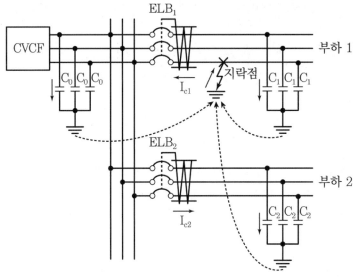

┤ 조건 ├

1) $I_{c1} = 3 \times 2\pi f\, CE$로서 계산한다.

2) 누전차단기는 지락 시의 지락전류의 $\dfrac{1}{3}$에 동작 가능하여야 하며, 부동작전류는 건전 피더에 흐르는 지락전류의 2배 이상의 것으로 한다.

3) 누전차단기의 시설 구분에 대한 표시 기호는 다음과 같다.

　O : 누전차단기를 시설할 것

　△ : 주택에 기계기구를 시설하는 경우에는 누전차단기를 시설할 것

　□ : 주택 구내 또는 도로에 접한 면에 룸에어컨디셔너, 아이스박스, 진열장, 자동판매기 등 전동기를 부품으로 한 기계기구를 시설하는 경우에는 누전차단기를 시설하는 것이 바람직하다.

1) 도면에서 CVCF는 무엇인지 우리말 명칭을 쓰시오.

정답

정전압 정주파수 공급 장치

2) 건전(Feeder) ELB₂에 흐르는 지락전류 I_{C2}는 몇 [mA]인가?

> **정답**
>
> 지락전류 $I_{C2} = 3\omega CE$
>
> $$= 3 \times 2\pi \times f \times (C_{L2} + C_2) \times \frac{V}{\sqrt{3}}$$
>
> $$= 3 \times 2\pi \times 60 \times (0.2+1) \times 10^{-6} \times \frac{220}{\sqrt{3}} \times 10^3$$
>
> $$= 43.095 [\text{mA}]$$

3) 누전차단기 ELB₁, ELB₂가 불필요한 동작을 하지 않기 위해서 정격감도전류는 몇 [mA] 범위의 것을 선정하여야 하는가?

> **정답**
>
> 조건에서
>
> ① 동작전류 = 지락전류 $\times \frac{1}{3}$ 배가 되므로
>
> $I_c = 3\omega CE$
>
> $$= 3 \times 2\pi f \times (C_0 + C_{L1} + C_{L2} + C_2) \times \frac{V}{\sqrt{3}}$$
>
> $$= 3 \times 2\pi \times 60 \times (5+0.2+0.1+0.2+0.1) \times 10^{-6} \times \frac{220}{\sqrt{3}} \times 10^3$$
>
> $$= 804.456 [\text{mA}]$$
>
> 따라서 $804.456 \times \frac{1}{3} = 268.15 [\text{mA}]$이다.
>
> ② 부동작전류 = 건전피더 지락전류 $\times 2$배가 되므로
>
> 2)에서 계산한 $43.095 \times 2 = 86.2 [\text{mA}]$
>
> 따라서 $86.2 [\text{mA}] \sim 268.15 [\text{mA}]$가 된다.

17 다음 주어진 도면을 보고 물음에 답하시오.

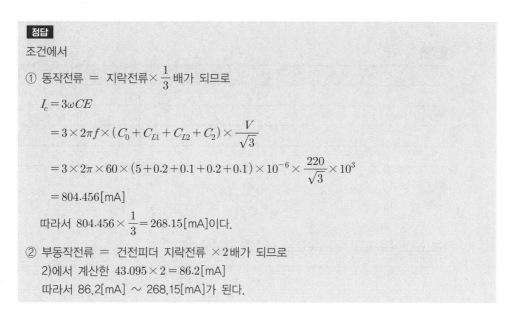

1) 회로의 명칭을 쓰시오.

> **정답**
>
> Exclusive Nor회로, 일치회로

2) 논리식을 작성하시오.

> **정답**
>
> $Y = A \cdot B + \overline{A} \cdot \overline{B}$

3) 진리표를 완성하시오.

A	B	Y

> **정답**
>
> | A | B | Y |
> |---|---|---|
> | 0 | 0 | 1 |
> | 0 | 1 | 0 |
> | 1 | 0 | 0 |
> | 1 | 1 | 1 |

18 다음 논리식을 참고하여 유접점 회로를 완성하시오.

논리식 $L = (X + \overline{Y} + Z) \cdot (Y + \overline{Z})$

01   용량이 5,000[kVA]인 수전설비의 수용가에서 5,000[kVA], 75[%](지상)의 부하가 운전 중이다. 다음 각 물음에 답하시오.

1) 위 조건에 1,000[kVA] 전력용 커패시터를 설치했을 때 개선된 역률[%]을 구하시오.

> **정답**
> 1) 설치 전의 유효전력
> $$P_1 = 5,000 \times 0.75 = 3,750[\text{kW}]$$
> 2) 설치 전의 무효전력
> $$Q_1 = 5,000 \times \sqrt{1-0.75^2} = 3,307.19[\text{kVar}]$$
> 3) 1,000[kVA]의 커패시터를 설치하였으므로
> $$Q_0 = Q_1 - Q_c = 3,307.19 - 1,000 = 2,307.19[\text{kVar}]$$
> 4) 콘덴서 설치에 따른 개선된 역률
> $$\cos\theta = \frac{P}{P_a} = \frac{3,750}{\sqrt{3,750^2 + (2,307.19)^2}} \times 100 = 85.17[\%]$$

2) 1,000[kVA] 전력용 커패시터를 설치한 후, 역률 80[%](지상)의 부하를 추가로 접속하여 운전하려고 한다. 이때 추가할 수 있는 역률 80[%](지상)의 최대 부하용량[kW]을 구하시오.

> **정답**
> $\Delta P[\text{kVA}]$
> $\Delta P \times 0.8$ $\Delta P \times 0.6$

3) 1,000[kVA] 전력용 커패시터를 설치하고, 2)에서 구한 부하를 추가했을 때 합성역률을 구하시오.

> **정답**
> $$\cos\theta = \frac{P+\Delta P}{P_a} = \frac{3,750+479.46}{5,000} \times 100 = 84.59[\%]$$

02 상순이 a − b − c인 불평형 3상 전류가 각각 I_a = 7.28 ∠ 15.95°[A], I_b = 12.81 ∠ −128.66°[A], I_c = 7.21 ∠ 123.69°[A]인 경우 대칭분(영상분 I_0, 정상분 I_1, 역상분 I_2)[A] 를 구하시오.

1) 영상분

> **정답**
>
> $$I_0 = \frac{1}{3}(I_a + I_b + I_c)$$
> $$= \frac{1}{3} \times (7.28 \angle 15.95° + 12.81 \angle -128.66° + 7.21 \angle 123.69°)$$
> $$= -1.67 - j0.67$$
> $$= 1.8 \angle -158.17° [A]$$

2) 정상분

> **정답**
>
> $$I_1 = \frac{1}{3}(I_a + aI_b + a^2 I_c)$$
> $$= \frac{1}{3} \times (7.28 \angle 15.95° + 1 \angle 120° \times 12.81 \angle -128.66° + 1 \angle -120° \times 7.21 \angle 123.69°)$$
> $$= 8.95 + j0.18$$
> $$= 8.95 \angle 1.14° [A]$$

3) 역상분

> **정답**
>
> $$I_1 = \frac{1}{3}(I_a + a^2 I_b + aI_c)$$
> $$= \frac{1}{3} \times (7.28 \angle 15.95° + 1 \angle -120° \times 12.81 \angle -128.66° + 1 \angle 120° \times 7.21 \angle 123.69°)$$
> $$= -0.29 + j2.49$$
> $$= 2.51 \angle 96.55° [A]$$

03 지표면상 10[m] 높이에 수조가 있다. 이 수조에 초당 1[m³]의 물을 양수하려고 할 때, 다음 물음에 답하시오. (단, 펌프 효율이 70[%]이고, 유도전동기의 역률은 100[%]이며, 여유율은 20[%]로 한다.)

1) 펌프용 3상 농형 유도전동기의 출력[kW]를 구하시오.

정답

$$P = \frac{9.8KQH}{\eta}$$
$$= \frac{9.8 \times 1.2 \times 1 \times 10}{0.7}$$
$$= 168[\text{kW}]$$

2) 단상 변압기 2대를 사용하여 V결선으로 전력을 공급할 경우 1대의 용량[kVA]를 구하시오.

정답

$$P_V = \sqrt{3}\, P_a \cdot \cos\theta$$
$$P_s = \frac{P_V}{\sqrt{3} \cdot \cos\theta} = \frac{168}{\sqrt{3} \times 1} = 96.99[\text{KVA}]$$

04 그림과 같이 전류계 3개를 가지고 부하전력을 측정하려고 한다. 각 전류계의 지시가 A_1 = 10[A], A_2 = 4[A], A_3 = 7[A]이고 R = 25[Ω]일 때 다음을 구하시오.

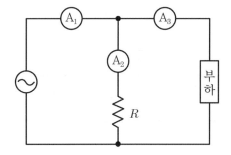

1) 부하에서 소비되는 전력[W]을 구하시오.

정답

소비전력 $P = \frac{R}{2}(A_1^2 - A_2^2 - A_3^2)$
$$= \frac{25}{2}(10^2 - 4^2 - 7^2)$$
$$= 437.5[\text{W}]$$

2) 부하 역률[%]을 구하시오.

> **정답**
>
> 역률 $\cos\theta = \dfrac{A_1^2 - A_2^2 - A_3^2}{2A_2 A_3}$
>
> $\qquad = \dfrac{10^2 - 4^2 - 7^2}{2 \times 4 \times 7}$
>
> $\qquad = 0.625$
>
> $\qquad = 62.5[\%]$

05 다음 표에 대한 부하를 사용하는 수용가의 종합 최대수요전력(합성수요전력)을 구하시오.

조건	부하A	부하B	부하C	부하D
용량[kW]	10	20	20	30
수용률	0.8	0.8	0.6	0.6
부등률	1.3			

> **정답**
>
> 종합 최대수요전력 $= \dfrac{\text{개별수용 최대전력의 합[kW]}}{\text{부등률}}$
>
> $\qquad = \dfrac{(10 \times 0.8) + (20 \times 0.8) + (20 \times 0.6) + (30 \times 0.6)}{1.3} = 41.54[\text{kW}]$

06 수전전압 6,600[V], 수전점의 3상 단락 전류가 8,000[A]인 경우 다음 각 물음에 답하시오. (단, 단락점에서부터 바라본 가공전선로의 %임피던스의 총합은 58.5[%]이다.)

차단기의 정격용량[MVA]							
40	50	75	100	150	250	300	400

1) 기준용량을 구하시오.

> **정답**
>
> $P_n = \sqrt{3}\, V I_n = \sqrt{3} \times 6{,}600 \times 4{,}680 \times 10^{-6} = 53.5[\text{MVA}]$
>
> 단락전류 $I_s = \dfrac{100}{\%Z} I_n$
>
> $I_n = \dfrac{I_s \times \%Z}{100} = \dfrac{8{,}000 \times 58.5}{100} = 4{,}680[\text{A}]$

2) 차단용량을 구하시오.

정답

$$P_s = \sqrt{3}\ V_n I_s = \sqrt{3} \times 7,200 \times 8,000 \times 10^{-6} = 99.77[\text{MVA}]$$

따라서 100[MVA] 선정

07 그림의 전력계통의 차단기 a에서의 단락용량[MVA]을 구하시오. (단, 전력계통에서 %임피던스는 10[MVA]을 기준으로 환산된 값이다.)

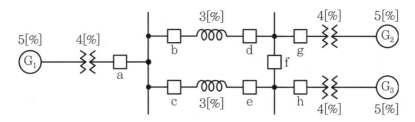

1) 차단기 a의 우측에서 단락이 일어났을 경우

정답

$$P_s = \frac{100}{\%Z} P_n$$

a점 차단기를 기준으로 우측의 %임피던스를 구하면 $5 + 4 = 9[\%]$

따라서 $P_s = \dfrac{100}{9} \times 10 = 111.11[\text{MVA}]$

2) 차단기 a의 좌측에서 단락이 일어났을 경우

정답

$$P_s = \frac{100}{\%Z} P_n$$

a점 차단기를 기준으로 좌측의 %임피던스를 구하면 $(3 + 4 + 5) \times \dfrac{1}{2} = 6[\%]$

따라서 $P_s = \dfrac{100}{6} \times 10 = 166.67[\text{MVA}]$

차단기의 용량은 좌측의 사고를 기준으로 한다.

08 한국전기설비규정에서 규정한 다음 각 용어의 정의를 쓰시오.

1) PEM(Protective earthing conductor and mid − point conductor)

정답

직류회로에서 중간선 겸용 보호도체

2) PEL(Protective earthing conductor and a line conductor)

정답

직류회로에서 선도체 겸용 보호도체

09 3상 3선식 1회선 배전선로의 말단에 역률 80[%](지상) 3상 평형 부하가 있다. 변전소 인출구의 전압이 6,600[V], 부하의 단자전압이 6,000[V]일 때, 소비전력[kW]을 구하시오. (단, 선로의 저항은 1.4[Ω], 리액턴스는 1.8[Ω]이고 기타의 선로정수는 무시한다.)

정답

전압강하 $e = 6,600 - 6,000 = 600[\text{V}]$

$I = \dfrac{e}{\sqrt{3}\,(R\cos\theta + X\sin\theta)} = \dfrac{600}{\sqrt{3} \times (1.4 \times 0.8 + 1.8 \times 0.6)} = 157.48[\text{A}]$

수전전력 $P_r = \sqrt{3} \times 6,000 \times 157.48 \times 0.8 \times 10^{-3} = 1,309.26[\text{kW}]$

10 변압기의 2차 정격전압이 2,300[V], 2차 정격전류가 43.5[A], 2차 측에서 본 합성저항이 0.66[Ω], 무부하손이 1,000[W]이다. 전부하 시 및 절반 부하 시의 역률 100[%] 및 역률 80[%]일 때의 이 변압기의 효율을 각각 구하시오.

1) 전부하 시

정답

(1) 역률 100[%]일 때

$\eta = \dfrac{\text{출력}}{\text{출력} + \text{철손} + \text{동손}} \times 100[\%]$

$= \dfrac{2,300 \times 43.5 \times 1}{2,300 \times 43.5 \times 1 + (1,000) + (43.5^2 \times 0.66)} \times 100 = 97.8[\%]$

(2) 역률 80[%]일 때

$\eta = \dfrac{\text{출력}}{\text{출력} + \text{철손} + \text{동손}} \times 100[\%]$

$= \dfrac{2,300 \times 43.5 \times 0.8}{2,300 \times 43.5 \times 0.8 + (1,000) + (43.5^2 \times 0.66)} \times 100 = 97.27[\%]$

2) 절반 부하 시

정답

(1) 역률 100[%]일 때

$$\eta = \frac{출력 \times \frac{1}{2}}{출력 \times \frac{1}{2} + 철손 + 동손} \times 100[\%]$$

$$= \frac{2,300 \times 43.5 \times 1 \times \frac{1}{2}}{2,300 \times 43.5 \times 1 \times \frac{1}{2} + (1,000) + (0.5^2 \times 43.5^2 \times 0.66)} \times 100 = 97.44[\%]$$

(2) 역률 80[%]일 때

$$\eta = \frac{출력 \times \frac{1}{2}}{출력 \times \frac{1}{2} + 철손 + 동손} \times 100[\%]$$

$$= \frac{2,300 \times 43.5 \times 0.8 \times \frac{1}{2}}{2,300 \times 43.5 \times 0.8 \times \frac{1}{2} + (1,000) + (0.5^2 \times 43.5^2 \times 0.66)} \times 100 = 96.83[\%]$$

11 그림과 같이 접속된 3상 3선식 고압 수전설비의 변류기 2차 측 전류가 언제나 4.2[A]이었다. 이때 수전전력[kW]를 구하시오. (단, 수전전압은 6,600[V], 변류비는 50/5, 역률은 100[%]이다.)

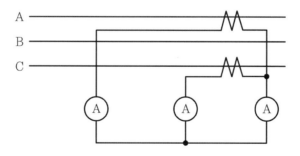

정답

수전전력 $P = \sqrt{3}\,V_1 I_1 \cos\theta = \sqrt{3} \times 6,600 \times 4.2 \times \frac{50}{5} \times 1 \times 10^{-3} = 480.12[\text{kW}]$

12 전선의 식별에 관한 아래 표를 완성하시오.

상(문자)	색상
L1	(①)
L2	흑색
L3	(②)
N	(③)
보호도체	(④)

정답

① : 갈색

② : 회색

③ : 청색

④ : 녹색-노란색

13 주어진 도면은 어떤 수용가의 수전설비의 단선결선도이다. 다음 도면을 이용하여 물음에 답하시오.

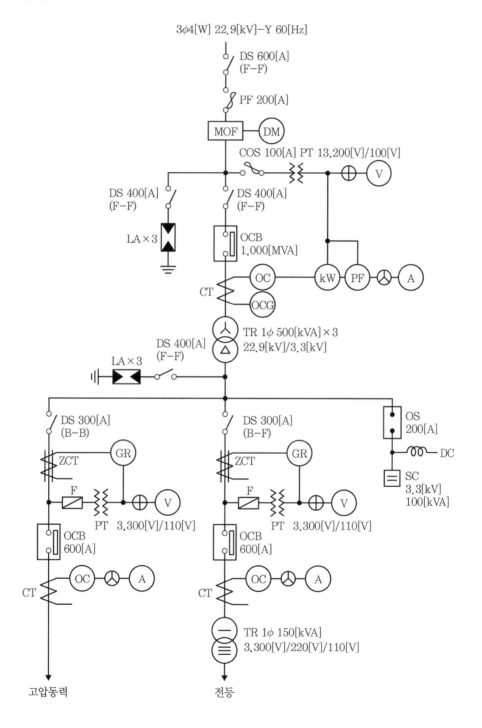

1) 22.9[kV] 측의 DS의 정격전압[kV]은? (단, 정격전압을 구하는 식은 기재하지 않는다.)

정답
25.8[kV]

2) MOF의 기능을 쓰시오.

정답
전력량계에 전원을 공급한다.

3) CB의 기능을 쓰시오.

정답
평상시 부하전류의 개폐가 가능하며, 고장 시 신속히 동작하여 고장전류를 차단한다.

4) 22.9[kV] 측의 LA의 정격전압[kV]은?

정답
18[kV]

5) MOF에 연결되어 있는 DM의 명칭은 무엇인가?

정답
최대수요전력계

6) 1대의 전압계로 3상 전압을 측정하기 위한 개폐기의 명칭(약호)을 쓰시오.

정답
VS

7) 1대의 전류계로 3상 전류를 측정하기 위한 개폐기의 명칭(약호)을 쓰시오.

정답
AS

8) PF의 기능을 쓰시오.

정답
단락전류를 차단한다.

9) ZCT의 기능을 쓰시오.

정답
지락 시 영상전류를 검출한다.

10) ZCT에 연결된 GR의 기능을 쓰시오.

정답
지락시 동작하여 차단기를 트립시킨다.

11) SC의 기능을 쓰시오.

정답
부하의 역률을 개선한다.

12) 3.3[kV] 측 CB에 적힌 600[A]는 무엇을 의미하는가?

정답
차단기의 정격전류

13) OS의 명칭을 쓰시오.

> **정답**
> 유입개폐기

14 전기안전관리자의 직무에 따라 전기설비 용량별 점검횟수 및 간격은 안전관리업무를 대행하는 전기안전관리자가 전기설비가 설치된 장소 또는 사업장을 방문하여 점검을 실시해야 한다.

용량별 점검횟수 및 간격			
용량별		점검횟수	점검간격
저압	1~300[kW] 이하	월 1회	20일 이상
	300[kW] 초과	월 2회	10일 이상
고압	1~300[kW] 이하	월 1회	20일 이상
	300[kW] 초과 ~ 500[kW] 이하	월 (①)회	(②)일 이상
	500[kW] 초과 ~ 700[kW] 이하	월 (③)회	(④)일 이상
	700[kW] 초과 ~ 1,500[kW] 이하	월 (⑤)회	(⑥)일 이상
	1,500[kW] 초과 ~ 2,000[kW] 이하	월 (⑦)회	(⑧)일 이상
	2,000[kW] 초과	월 (⑨)회	(⑩)일 이상

> **정답**
> ① 2　　② 10　　③ 3　　④ 7　　⑤ 4
> ⑥ 5　　⑦ 5　　⑧ 4　　⑨ 6　　⑩ 3

15 다음은 전력시설물 공사감리업무 수행지침 중 설계변경 및 계약금액의 조정 관련 감리업무와 관련된 사항이다. 빈칸에 알맞은 내용을 답하시오.

> 감리원은 설계변경 등으로 인한 계약금액의 조정을 위한 각종 서류를 공사업자로부터 제출받아 검토·확인한 후 감리업자에게 보고하여야 하며, 감리업자는 소속 비상주감리원에게 검토·확인하게 하고 대표자 명의로 발주자에게 제출하여야 한다. 이때 변경설계도서의 설계자는 (①), 심사자는 (②)이 날인하여야 한다. 다만, 대규모 통합감리의 경우, 설계자는 실제 설계 담당 감리원과 책임감리원이 연명으로 날인하고 변경설계도서의 표지양식은 사전에 발주처와 협의하여 정한다.

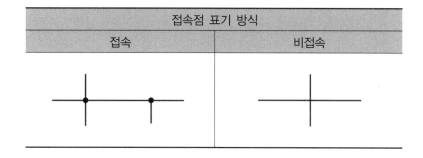

정답
① 책임감리원
② 비상주감리원

16 어떤 도로의 폭이 20[m]인 곳의 양쪽에 15[m] 간격으로 등주가 대칭배열되어 있을 때, 가로등 1개의 전광속이 8,000[lm], 도로면의 조명률이 45[%]인 경우 도로 위의 평균조도 [lx]를 구하시오.

정답

$$FUN = DES$$

$$E = \frac{FUN}{DS} = \frac{8,000 \times 0.45 \times 1}{1 \times \frac{20 \times 15}{2}} = 24[\text{lx}]$$

17 입력 A, B, C에 대한 출력 Y1, Y2를 다음의 진리표와 같이 동작시키고자 할 때, 다음 각 물음에 답하시오.

A	B	C	Y1	Y2
0	0	0	0	1
0	0	1	0	1
0	1	0	0	1
0	1	1	0	0
1	0	0	0	1
1	0	1	1	1
1	1	0	1	1
1	1	1	1	0

접속점 표기 방식	
접속	비접속
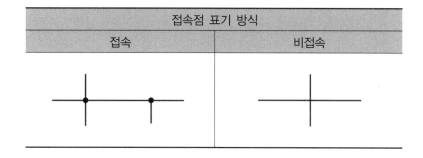	

1) 출력 Y1, Y2에 대한 논리식을 간략화하시오. (단, 단락화된 논리식은 최소한의 논리게이트 접점 사용을 고려한 논리식이다.)

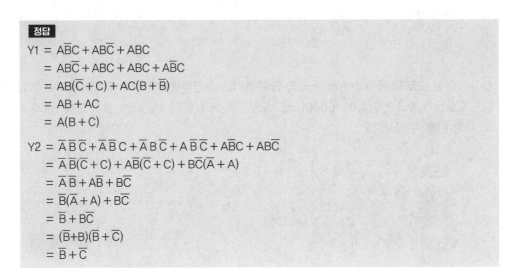

정답

$Y1 = A\overline{B}C + AB\overline{C} + ABC$

$\quad = AB\overline{C} + ABC + ABC + A\overline{B}C$

$\quad = AB(\overline{C} + C) + AC(B + \overline{B})$

$\quad = AB + AC$

$\quad = A(B + C)$

$Y2 = \overline{A}\,\overline{B}\,\overline{C} + \overline{A}\,\overline{B}C + \overline{A}B\overline{C} + A\overline{B}\,\overline{C} + A\overline{B}C + AB\overline{C}$

$\quad = \overline{A}\,\overline{B}(\overline{C} + C) + A\overline{B}(\overline{C} + C) + B\overline{C}(\overline{A} + A)$

$\quad = \overline{A}\,\overline{B} + A\overline{B} + B\overline{C}$

$\quad = \overline{B}(\overline{A} + A) + B\overline{C}$

$\quad = \overline{B} + B\overline{C}$

$\quad = (\overline{B}+B)(\overline{B} + \overline{C})$

$\quad = \overline{B} + \overline{C}$

2) 1)에서 구한 논리식을 논리회로로 나타내시오.

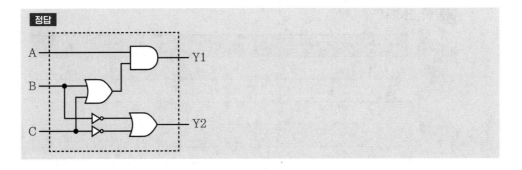

정답

3) 1)에서 구한 논리식을 시퀀스회로로 나타내시오.

정답

18 다음과 같은 유접점 회로가 있다. 접속점 표기 방식을 참고하여 다음 물음에 답하시오.

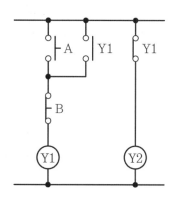

접속점 표기 방식	
접속	비접속

1) 논리식을 작성하시오.

정답

$$Y1 = (A + Y1)\overline{B}$$
$$Y2 = \overline{Y1}$$

2) 무접점 회로로 작성하시오.

정답

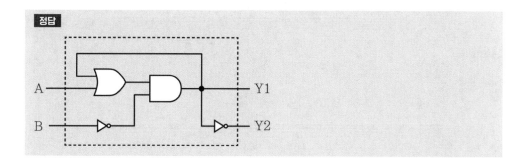

01 어떤 부하에 그림과 같이 전압계, 전류계 및 전력계의 지시가 각각 $V=220[V]$, $I=25[A]$, $W_1=5.6[kW]$, $W_2=2.4[kW]$이다. 이 부하에 대하여 다음 각 물음에 답하시오.

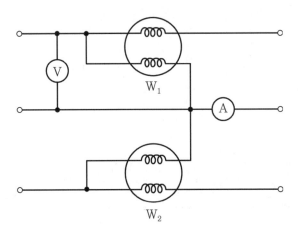

(1) 소비전력은 몇 [kW]인가?

정답

$$W = W_1 + W_2 = 8[kW]$$

(2) 부하 역률은 몇 [%]인가?

정답

$$W = W_1 + W_2 = \sqrt{3}\, VI \cos\theta$$

$$\cos\theta = \frac{W_1 + W_2}{\sqrt{3}\, VI} = \frac{(5.6+2.4)\times 10^3}{\sqrt{3}\times 220 \times 25}\times 100 = 83.98[\%]$$

02 단상 3선식 110/220[V]을 채용하고 있는 어떤 건물이 있다. 변압기가 설치된 수전실로부
터 100[m]되는 곳에 부하집계표와 같은 분전반을 시설하고자 한다. 다음 조건과 전선의
허용전류표를 이용하여 다음 각 물음에 답하시오. (단, 전압변동률 및 전압강하율은 2[%]
이하가 되도록 하며 중성선의 전압강하는 무시한다.)

┌─ 조건 ┐
- 후강 전선관 공사로 한다.
- 3선 모두 같은 선으로 한다.
- 부하의 수용률은 100[%]로 적용한다.
- 후강 전선관 내 전선의 점유율을 48[%] 이내를 유지할 것

① 전선 허용전류표

단면적[mm²]	허용전류[A]	전선관 3본 이하 수용 시[A]	피복 포함 단면적[mm²]
5.5	34	31	28
14	61	55	66
22	80	72	88
38	113	102	121
50	133	119	161

② 부하집계표

회로 번호	부하 명칭	부하 [VA]	부하 분담[VA]		MCCB 크기			비고
			A	B	극수	AF	AT	
1	전등	2,400	1,200	1,200	2	50	15	
2	〃	1,400	700	700	2	50	15	
3	콘센트	1,000	1,000	–	1	50	20	
4	〃	1,400	1,400	–	1	50	20	
5	〃	600	–	600	1	50	20	
6	〃	1,000	–	1,000	1	50	20	
7	팬코일	700	700	–	1	30	15	
8	〃	700	–	700	1	30	15	
합계		9,200	5,000	4,200				

③ 후강 전선관 규격

호칭	G16	G22	G28	G36	G42	G54

(1) 간선의 공칭단면적[mm²]을 선정하시오.

> **정답**
>
> $I_A = \dfrac{5,000}{110} = 45.45[\text{A}]$
>
> $I_B = \dfrac{4,200}{110} = 38.18[\text{A}]$
>
> A선의 분담 전류가 크므로
>
> $A = \dfrac{17.8LI}{1,000e} = \dfrac{17.8 \times 100 \times 45.45}{1,000 \times 110 \times 0.02} = 36.77[\text{mm}^2]$
>
> $\therefore 38[\text{mm}^2]$

(2) 후강 전선관의 호칭을 표에서 선정하시오.

> **정답**
>
> $38[\text{mm}^2] \times 3 : 121 \times 3 = 363[\text{mm}^2]$
>
> $A = \dfrac{\pi}{4}d^2 \times 0.48 \geq 363$
>
> $d = \sqrt{\dfrac{363 \times 4}{0.48\pi}} = 31.03[\text{mm}^2]$
>
> $\therefore G36$

(3) 설비 불평형률은 몇 [%]인지 구하시오.

> **정답**
>
> $\% = \dfrac{5,000 - 4,200}{9,200 \times \dfrac{1}{2}} \times 100 = 17.39[\%]$

03 다음 그림과 같은 사무실이 있다. 이 사무실의 평균조도를 200[lx]로 하고자 할 때 다음 각 물음에 답하시오.

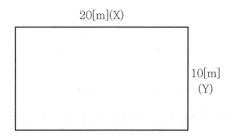

┌─ 조건 ─┐

- 형광등은 40[W]를 사용하며, 광속은 2,500[lm]
- 조명률은 0.6, 감광보상률은 1.2
- 사무실 내부에 기둥은 없음
- 간격은 등기구 센터를 기준으로 함
- 등기구는 O으로 표현

(1) 사무실에 필요한 형광등 개수를 구하시오.

정답

$$FUN = DES$$

$$N = \frac{DES}{FU} = \frac{1.2 \times 200 \times 20 \times 10}{2,500 \times 0.6} = 32[\text{등}]$$

(2) 등기구를 답안지에 배치하시오. (단, 등기구는 O으로 그리시오.)

정답

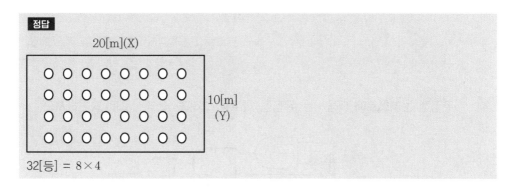

$$32[\text{등}] = 8 \times 4$$

(3) 등간의 간격과 최외각에 설치된 등기구 건물벽 간의 간격(A, B, C, D)은 몇 [m]인가?

정답

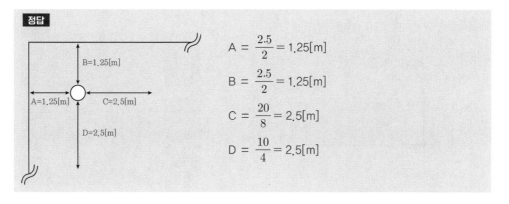

$$A = \frac{2.5}{2} = 1.25[\text{m}]$$

$$B = \frac{2.5}{2} = 1.25[\text{m}]$$

$$C = \frac{20}{8} = 2.5[\text{m}]$$

$$D = \frac{10}{4} = 2.5[\text{m}]$$

(4) 주파수 60[Hz]에 사용하는 형광방전등을 50[Hz]에서 사용한다면 광속과 점등시간은 어떻게 변화되는지를 설명하시오.

> **정답**
> - 광속 : $f\downarrow \rightarrow X_L = j\omega L\downarrow \rightarrow I\uparrow \rightarrow F\uparrow$ 광속 증가
>   주파수가 감소하면 전류가 증가하므로 광속이 증가한다.
> - 점등시간 : $f\downarrow \rightarrow T\uparrow,\ \therefore V_L\downarrow = L\dfrac{di}{dt\uparrow}$ 점등시간 늦음
>   주파수가 감소하면 주기가 증가하므로 점등시간이 늦어진다.
> ※ 방전등이 빠르게 점등되려면 고전압이 발생되어야 하는데, 전압이 감소되어 점등시간이 늦어진다.

(5) 양호한 전반조명이라면 등간격은 등 높이의 몇 배 이하로 해야 하는가?

> **정답**
> 1.5[H] 이하
> ※ ① 벽측을 사용하는 경우 : $\dfrac{1}{3}$[H] 이하
>   ② 벽면을 사용하지 않을 경우 : $\dfrac{1}{2}$[H] 이하

04 무접점 논리회로에 대응하는 유접점 회로를 그리고, 논리식으로 표현하시오.

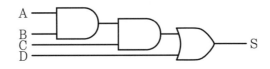

> **정답**
> ① 논리식
> $S = ABC + D$
> ② 유접점 회로
>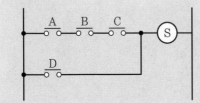

05 어떤 기간 중에 수용설비의 최대수요전력[kW]과 설비용량의 합[kW]의 비를 나타내는 말은 무엇인가?

06 3상 송전선로 5[km] 지점에 1,000[kW], 역률 0.8인 부하가 있다. 전력용 콘덴서를 설치하여 역률을 95[%]로 개선하였다. 다음의 경우에 역률 개선 전의 몇 [%]인가? (단, 1상당 임피던스는 $0.3 + j0.4$[Ω /km], 부하의 전압은 6,000[V]로 일정하다.)

(1) 전압강하

정답

$e = \sqrt{3}\, I(R\cos\theta + X\sin\theta)$ 이므로

$e_1 = \sqrt{3}\, I_1(R\cos\theta_1 + X\sin\theta_1) = \sqrt{3} \times 120.28 \times (0.3 \times 5 \times 0.8 + 0.4 \times 5 \times 0.6) = 499.99$[V]

$I_1 = \dfrac{P}{\sqrt{3}\, V\cos\theta_1} = \dfrac{1,000 \times 10^3}{\sqrt{3} \times 6,000 \times 0.8} = 120.28$[A]

$e_2 = \sqrt{3}\, I_2(R\cos\theta_2 + X\sin\theta_2)$

$\quad = \sqrt{3} \times 101.29 \times (0.3 \times 5 \times 0.95 + 0.4 \times 5 \times \sqrt{1 - 0.95^2}) = 359.56$[V]

$I_2 = \dfrac{P}{\sqrt{3}\, V\cos\theta_2} = \dfrac{1,000 \times 10^3}{\sqrt{3} \times 6,000 \times 0.95} = 101.29$[A]

비를 물어보았으므로 $\dfrac{359.56}{499.99} \times 100 = 71.91$[%]

(2) 전력손실

정답

$P_l = 3I^2R = 3 \times (\dfrac{P}{\sqrt{3}\, V\cos\theta})^2 R = \dfrac{P^2 R}{V^2 \cos^2\theta}$

$\therefore\ P_l = (\dfrac{0.8}{0.95})^2 \times 100 = 70.91$[%]

07 발전기의 최대출력은 400[kW]이며, 일 부하율 40%로 운전하고 있다. 증유의 발열량은 9,600[kcal/L], 열효율은 36[%]일 때 하루 동안의 소비 연료량[L]은 얼마인가?

정답

$$\eta = \frac{860Pt}{MH} = \frac{860 \times 400 \times 0.4 \times 24}{M \times 9,600} = 0.36$$

$$M = \frac{860 \times 400 \times 0.4 \times 24}{0.36 \times 9,600} = 955.56[L]$$

08 정격전압이 같은 두 변압기가 병렬로 운전 중이다. A변압기의 정격용량은 20[kVA], %임피던스는 4[%]이고 B변압기의 정격용량은 75[kVA], %임피던스는 5[%]일 때 다음 각 물음에 답하시오. (단, 변압기 A, B의 내부저항과 누설리액턴스비는 같다. ($R_a / X_a = R_b / X_b$))

(1) 2차 측 부하용량이 60[kVA]일 때 각 변압기가 분담하는 전력은 얼마인가?

① A변압기

② B변압기

정답

부하부담비 $\dfrac{P_a}{P_b} = \dfrac{\%Z_B}{\%Z_A} \times \dfrac{P_A}{P_B} = \dfrac{5}{4} \times \dfrac{20}{75} = \dfrac{1}{3}$

$$\therefore P_a : P_b = 1 : 3$$

① A변압기 : $60 \times \dfrac{1}{4} = 15[kVA]$

② B변압기 : $60 \times \dfrac{3}{4} = 45[kVA]$

(2) 2차 측 부하용량이 120[kVA]일 때 각 변압기가 분담하는 전력은 얼마인가?

① A변압기

② B변압기

정답

① A변압기 : $120 \times \dfrac{1}{4} = 30[kVA]$

② B변압기 : $120 \times \dfrac{3}{4} = 90[kVA]$

(3) 변압기가 과부하되지 않는 범위 내에서 2차 측 최대 부하용량은 얼마인가?

정답

1) $P_a = P_A = 20$
   $P_a : P_b = 1 : 3$
   $P_b = 60$

2) $P_b = P_B = 75$
   $P_a = \dfrac{75}{3} = 25$

∴ $20 + 60 = 80$

A변압기의 용량을 최대 공급이라 가정하고 20[kVA]를 부담하면 부담비는 1:3이므로 B변압기의 최대 부담은 60[kVA]가 된다.

만약 B변압기의 용량이 최대 공급이라 가정하고 75[kVA]을 부담하면 분담비는 1:3이고 A변압기는 25[kVA]가 부담되므로 이 변압기는 과부하가 된다.

따라서, 20+60의 부하 부담이 되어야 하므로 80[kVA]가 된다.

09 무접점 논리회로에 대응하는 유접점 회로를 그리고, 논리식으로 표현하시오.

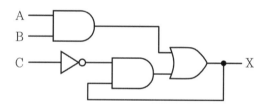

정답

① 논리식
   $X = AB + \overline{C}X$

② 유접점 회로

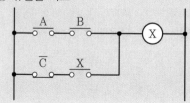

10 그림은 22.9[kV-Y], 1,000[kVA] 이하에 적용 가능한 특고압 간이 수전설비 표준결선도이다. 이 결선도를 보고 다음 각 물음에 답하시오.

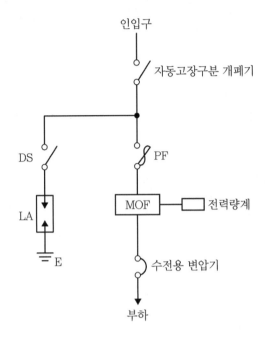

(1) 용량 300[kVA] 이하에서 ASS 대신 사용할 수 있는 것은?

정답

인터럽트 스위치(Int.SW)

(2) 본 도면에서 생략할 수 있는 것은?

정답

LA용 DS는 생략할 수 있다.

(3) 22.9[kV-Y]용의 LA는 어떤 것이 붙어있는 것을 사용해야 하는가?

정답

Disconnector(또는 Isolator) 붙임형을 사용하여야 한다.

(4) 인입선을 지중선으로 시설하는 경우로서 공동주택 등 사고 시 정전 피해가 큰 수전설비 인입선은 예비선을 포함하여 몇 회선으로 시설하는 것이 바람직한가?

정답
2회선

(5) 22.9[kV-Y] 지중 인입선에는 어떤 케이블을 사용하여야 하는가?

정답
CNCV-W 케이블(수밀형) 또는 TR CNCV-W(트리억제형)

(6) 300[kVA] 이하인 경우 PF 대신 COS를 사용하였다. 이것의 비대칭 차단전류 용량은 몇 [kA] 이상의 것을 사용하여야 하는가?

정답
10[kA] 이상

11 다음 각 계전기의 이름을 작성하시오.

(1) OCR   (2) OVR   (3) UVR   (4) GR

정답
(1) 과전류계전기
(2) 과전압계전기
(3) 부족전압계전기
(4) 지락계전기

12 전기설비를 방폭화한 방폭기기 구조의 종류를 4가지를 쓰시오.

정답
(1) 내압 방폭구조
(2) 유입 방폭구조
(3) 압력 방폭구조
(4) 안전증 방폭구조

13 가로 10[m], 세로 16[m], 천장높이 3.85[m], 작업면 높이 0.85[m], 작업면 조도 300[lx]인 사무실에 천장 직부 형광등 F40×2를 설치하려고 한다. 다음 각 물음에 답하시오.

(1) 이 사무실의 실지수는 얼마인가?

정답

$$RI = \frac{XY}{H(X+Y)} = \frac{10 \times 16}{(3.85 - 0.85)(10 + 16)} = 2.05$$

(2) 이 사무실의 천장 반사율 70[%], 벽 반사율 50[%], 바닥 반사율 10[%], 40[W] 형광등 1등의 광속 3,150[lm], 보수율 70[%], 조명률 61[%]로 한다면 이 사무실에 필요한 소요 등기구 수는 몇 등인가?

정답

$$FUN = DES$$

$$N = \frac{DES}{FU} = \frac{\frac{1}{0.7} \times 300 \times 10 \times 16}{3,150 \times 2 \times 0.61} = 17.843 = 18[\text{등}]$$

14 전력계통에 이용되는 리액터에 대한 명칭을 쓰시오.

단락전류 제한	(1)
페란티 현상 방지	(2)
아크를 소호하여 지락전류 제한	(3)

정답

(1) 한류 리액터
(2) 분로 리액터
(3) 소호 리액터

15 다음은 상용전원과 예비전원 운전 시 유의하여야 할 사항이다. ( ) 안에 알맞은 내용을 쓰시오.

> 상용전원과 예비전원 사이에는 병렬운전을 하지 않는 것이 원칙이므로 수전용 차단기와 발전용 차단기 사이에는 전기적 또는 기계적 (①)을/를 시설해야 하며 (②)을/를 사용해야 한다.

정답
① 인터록
② 전환 개폐기

16 다음 설비 도면을 보고 각 물음에 답하시오.

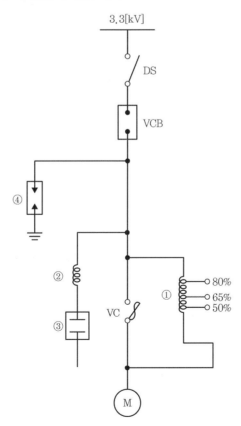

(1) 도면의 고압 유도 전동기 기동방식이 무엇인지 쓰시오.

정답

리액터 기동법

(2) ①~④의 명칭을 작성하시오.

정답

① 기동용 리액터
② 직렬 리액터
③ 전력용 콘덴서
④ 서지 흡수기

17 고압선로에서의 접지사고 검출 및 경보장치를 그림과 같이 시설하였다. A선에 누전사고가 발생하였을 때 다음 각 물음에 답하시오. (단, A의 대지전위는 0이며, 전원이 인가되고 경보벨의 스위치는 닫혀있는 상태라고 한다.)

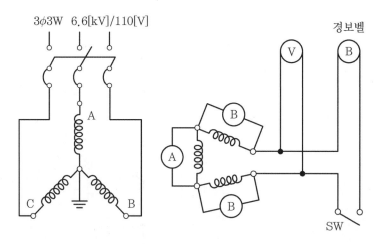

(1) 1차 측 A, B, C선의 대지전압은 몇 [V]인가?

   ① B선의 대지전압

   ② C선의 대지전압

정답

① $V_B = \dfrac{6,600}{\sqrt{3}} \times \sqrt{3} = 6,600[\text{V}]$

② $V_C = \dfrac{6,600}{\sqrt{3}} \times \sqrt{3} = 6,600[\text{V}]$

(2) 2차 측 Ⓐ, Ⓑ, Ⓒ의 전구전압과 전압계 Ⓥ의 지시전압, 경보벨 Ⓑ에 걸리는 전압은 몇 [V]인가?

   ① Ⓑ전구의 전압

   ② Ⓒ전구의 전압

   ③ 전압계 Ⓥ의 지시전압

   ④ 경보벨 Ⓑ에 걸리는 전압

정답

① $V_B = 6,600 \times \dfrac{110}{6,600} = 110[\text{V}]$

② $V_C = 6,600 \times \dfrac{110}{6,600} = 110[\text{V}]$

③ $110 \times \sqrt{3} = 190.53[\text{V}]$

④ $110 \times \sqrt{3} = 190.53[\text{V}]$

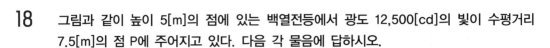

18 그림과 같이 높이 5[m]의 점에 있는 백열전등에서 광도 12,500[cd]의 빛이 수평거리 7.5[m]의 점 P에 주어지고 있다. 다음 각 물음에 답하시오.

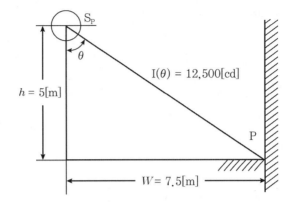

(1) P점의 수평면 조도를 구하시오.

> **정답**
>
> $$E_h = \frac{I}{r^2}\cos\theta = \frac{12,500}{(\sqrt{5^2+7.5^2})^2} \times \frac{5}{\sqrt{5^2+7.5^2}} = 85.338$$
> $$\therefore\ 85.34[\text{lx}]$$

(2) P점의 수직면 조도를 구하시오.

> **정답**
>
> $$E_r = \frac{I}{r^2}\sin\theta = \frac{12,500}{(\sqrt{5^2+7.5^2})^2} \times \frac{7.5}{\sqrt{5^2+7.5^2}} = 128.007$$
> $$\therefore\ 128.01[\text{lx}]$$

전기(산업)기사

실기 핵심이론 + 기출문제 별책부록

제2판 인쇄 2025. 2. 20. | **제2판 발행** 2025. 2. 25. | **편저자** 정용걸

발행인 박 용 | **발행처** (주)박문각출판 | **등록** 2015년 4월 29일 제2019-000137호

주소 06654 서울시 서초구 효령로 283 서경 B/D 4층 | **팩스** (02)584-2927

전화 교재 문의 (02)6466-7202

저자와의
협의하에
인지생략

정가 39,000원
ISBN 979-11-7262-568-9(별책부록)
　　　979-11-7262-567-2(세트)

MEMO